DU MÊME AUTEUR

Aux Éditions Gallimard

AU BONHEUR DES OGRES (« Folio », *n° 1972*).

LA FÉE CARABINE (« Folio », *n° 2043*).

LA PETITE MARCHANDE DE PROSE (« Folio », *n° 2342*). Prix du Livre Inter 1990.

COMME UN ROMAN (« Folio », *n° 2724*).

MONSIEUR MALAUSSÈNE (« Folio », *n° 3000*).

MONSIEUR MALAUSSÈNE AU THÉÂTRE (« Folio », *n° 3121*).

MESSIEURS LES ENFANTS (« Folio », *n° 3277*).

DES CHRÉTIENS ET DES MAURES. Première édition en France en 1999 (« Folio », *n° 3134*).

LE SENS DE LA HOUPPELANDE. *Illustrations de Tardi* (Futuropolis/Gallimard).

LA DÉBAUCHE. *Bande dessinée illustrée par Tardi* (Futuropolis/Gallimard, puis « Folio BD », *n° 5502*).

AUX FRUITS DE LA PASSION (« Folio », *n° 3434*).

LE DICTATEUR ET LE HAMAC (« Folio », *n° 4173*).

MERCI.

MERCI *suivi de* MES ITALIENNES, chronique d'une aventure théâtrale *et de* MERCI, adaptation théâtrale (« Folio », *n° 4363*).

MERCI. *Mise en scène et réalisation de Jean-Michel Ribes. Musique* « Jeux pour deux », 1975, *de François Vercken* (« DVD » conception graphique d'Étienne Théry).

CHAGRIN D'ÉCOLE (« Folio », *n° 4892*). Prix Renaudot 2007.

JOURNAL D'UN CORPS (« Folio » *n° 5733*).

LE 6e CONTINENT *suivi d'*ANCIEN MALADE DES HÔPITAUX DE PARIS.

ANCIEN MALADE DES HÔPITAUX DE PARIS (« Folio », *n° 5873*, « Écoutez lire »).

LE CAS MALAUSSÈNE 1. ILS M'ONT MENTI.

MON FRÈRE.

Suite des œuvres de Daniel Pennac en fin de volume

LA LOI DU RÊVEUR

DANIEL PENNAC

LA LOI DU RÊVEUR

roman

nrf

GALLIMARD

Il a été tiré de l'édition originale de cet ouvrage
quarante exemplaires sur vélin rivoli
des papeteries Arjowiggins numérotés de 1 *à* 40.

Pour Charlotte, Vincent, Anna et Lulle

À la mémoire de J.-B. Pontalis

I

L'INONDATION

Lorsque j'avais six ou sept ans j'étais convaincu qu'il existait deux vies, l'une où l'on vivait les yeux ouverts et l'autre les yeux fermés.

FEDERICO FELLINI
Le livre de mes rêves

1

Pour autant qu'on puisse dater ce genre de naissance, je suis devenu écrivain la nuit de cette conversation avec Louis. J'avais dix ans et j'affirmais à mon meilleur copain que la lumière c'est de l'eau.

— De l'eau, tu es sûr de ce que tu dis ?

— Parfaitement, la lumière c'est de l'eau.

— La lumière électrique ? Celle de notre lampe de chevet ? C'est de la flotte ?

Vercors, nuit tombée, la conversation avait lieu dans ma chambre d'enfant, dont Louis était l'invité perpétuel : lui dans son lit moi dans le mien, notre lampe de chevet entre nous, et un dessin très coloré de Federico Fellini accroché au-dessus de nos têtes. C'est le décor.

— Oui, la lumière jaune des ampoules et la lumière blanche des néons, c'est de l'eau.

— Qui t'a raconté ça ?

— Le maître, la semaine dernière, le jour où tu étais absent. Il nous a expliqué qu'en montagne, c'est-à-dire ici, la lumière c'est de l'eau, des rivières qu'on transforme en lacs, grâce à des barrages, et qu'on apprivoise dans des usines spéciales.

— De la flotte qu'on apprivoise ? Tu es sûr que tu as bien compris ?

Je n'en étais plus si sûr mais Louis avait tellement l'air de se foutre de moi que j'ai fui dans l'improvisation :

— J'ai parfaitement compris ! Une fois apprivoisée, l'eau coule à toute allure dans les fils électriques et elle tourne si vite dans les filaments des ampoules qu'à force de chauffer ça fait de la lumière !

Louis se tourna vers le mur :

— Ou tu as compris de travers ou tu racontes n'importe quoi.

Il ajouta :

— C'est normal, d'ailleurs, quand j'avais ton âge je faisais pareil.

Vieille plaisanterie entre nous. Il était né un 31 décembre et moi le 1er janvier.

— Mais on n'a qu'*un seul jour* de différence !

— Même si j'étais né le 31 à 23 heures 59 et toi le 1er à 0 heure et une seconde, ça ferait un an de différence. Et en un an on a le temps d'apprendre un tas de trucs, tu verras.

Le genre de blague dont on ne se lassait pas.

Notre bavardage aurait duré toute la nuit, si la tête de ma mère n'avait surgi dans l'entrebâillement de la porte :

— Éteignez et taisez-vous, les garçons, on part tôt demain matin et la route sera longue. Dormez !

En éteignant notre lampe de chevet je soufflai à Louis :

— Un jour c'est pas un an, et la lumière c'est de l'eau !

Il y avait beaucoup de sommeil dans sa voix, quand il me répondit :

— On verra ça demain, quand tu auras mon âge.

La seconde d'après on n'entendait plus dans la maison que les voix lointaines de la télévision. Mon père et ma mère regardaient une de ces émissions où l'on débattait déjà de l'avenir de la France et de la santé de la planète. Les parents s'assoupissaient régulièrement devant l'écran allumé, pour se réveiller en sursaut à ces heures où, l'humanité dormant, la télévision raconte la vie des bêtes.

2

Louis dormait depuis longtemps, quand je continuais à me demander ce qu'avait dit le maître, exactement. Il nous avait parlé des centrales nucléaires, il nous avait parlé des éoliennes qui, selon lui, faisaient de l'électricité avec le vent, mais aussi de ces barrages dans la montagne qui produisaient de la lumière avec de l'eau. C'était le cas de l'usine hydroélectrique où mes parents nous emmèneraient le lendemain, dans les Alpes-de-Haute-Provence, et qui avait été à l'origine de notre discussion. Le projet de cette randonnée nous excitait beaucoup. Mon père nous avait promis un tas de choses : nous pourrions faire de l'escalade, de la spéléo, nous baigner dans le lac et même apprendre à nager sous l'eau, avec des bouteilles d'air comprimé, comme les adultes ! La « mégarando », avait-il promis. Louis et moi étions très intéressés par la perspective de la plongée.

— Vous avez raison les garçons, la natation subaquatique va faire de vous d'authentiques poissons ! Vous serez libérés de la pesanteur.

Quelques années plus tard, ces sorties en famille

m'ennuieraient un peu, bien sûr, mais à dix ans rien ne pouvait me faire plus plaisir. Surtout si Louis nous accompagnait.

Nos sacs à dos, nos cordes de rappel, nos bouteilles d'air comprimé et nos palmes nous attendaient au pied de nos lits. Oui, ça promettait d'être une sacrée expédition ! Et puis, demain, en arrivant au grand barrage, mon père nous apprendrait tout ce qu'il y avait à savoir sur l'électricité de montagne. C'était le roi de l'explication. Même Louis en convenait.

Tout en songeant à cela, je pouvais presque entendre ce que disaient les débatteurs à la télévision. C'est que la porte de la chambre était restée entrebâillée. Maman avait-elle l'intention de nous surveiller toute la nuit ou avait-elle simplement oublié de la refermer ? Quoi qu'il en fût, la veilleuse de ma petite enfance luisait dans le couloir. Tiens, me dis-je, pourquoi les parents ont-ils allumé la veilleuse ? Il y avait au moins quatre ou cinq ans qu'on ne l'allumait plus. Je n'étais plus un bébé, je n'avais plus peur du noir. De plus, Louis était là ! Pourtant, je voyais bien l'auréole rousse, là-bas, dans la nuit du couloir, déployée autour de la petite ampoule comme l'œil ouvert d'un hibou. Je n'arrivais pas à en détourner les yeux. Ce hibou va m'empêcher de dormir, me dis-je. Je résolus de fixer cet œil jusqu'à ce qu'il se ferme. Un garçon de dix ans croit dur comme fer à ce genre de choses : Si je regarde cette veilleuse assez longtemps sans cligner des yeux, elle s'éteindra d'elle-même ; pure affaire de volonté. Le hibou fermera son œil.

Tu paries ?

Je ne sais combien de temps dura ce duel entre la veilleuse et moi. Tout devenait très noir autour de cette lueur dorée. Il n'y avait plus au monde que l'œil de ce hibou, qui me défiait dans la nuit :

— Regarde-moi ! Allez, regarde-moi !

Le hibou et moi.

Volonté contre volonté.

Finalement, j'ai gagné.

« Pof ! » a fait la veilleuse.

Je connaissais ce bruit. « Pof ! » Victoire ! L'ampoule a explosé ! Je l'ai fixée si intensément qu'elle a explosé ! « Pof ! » Suivi d'une petite pluie de verre sur le lino du couloir.

Je me suis tourné en souriant contre le mur pour m'endormir.

Mais je ne me suis pas endormi.

Du fond du couloir, le hibou continuait de me provoquer :

— Regarde-moi, regarde mon œil crevé si tu en as le courage !

Et je ne l'avais pas. Une peur montée de ma plus petite enfance m'interdisait de relever ce défi. Je m'efforçai de fixer le plafond, pourtant invisible dans la nuit. La peur me maintint un long moment dans cette position ; puis, la honte l'emportant – Tu as dix ans, quand même ! –, je fis de nouveau face au hibou.

Éruption de terreur. Là-bas, dans le couloir, un liquide jaune coulait de l'ampoule éventrée. Il coulait sans bruit et se répandait sur le sol.

J'appelai Louis à voix basse.

— Lou !

J'avais deux bonnes raisons de réveiller mon ami ; la peur, d'abord – l'effroi hérissait vraiment les pores de ma peau –, et la joie de lui prouver que j'avais eu raison tout à l'heure.

— Lou, crétin, réveille-toi ! Regarde !

La lumière coulait continûment de l'ampoule éventrée. Le silence ajoutait à ma frayeur. Le silence et le fait que la flaque, sur le sol, s'élargissait. Il y avait beaucoup plus de lumière dans cette flaque que ne pouvait en contenir une si petite ampoule.

Tout en appelant Louis je tâtonnai dans l'obscurité vers notre lampe de chevet.

— Allez, réveille-toi, ce n'est pas de la lumière liquide, ça ? C'est même une inondation de lumière !

Une lumière qui, d'ailleurs, n'éclairait rien. Le couloir était tout à fait obscur autour de la flaque. On n'y voyait que ce liquide s'étalant sans rien éclairer autour de lui. Cette lumière ne rayonnait plus. Elle n'éclairait qu'elle-même. Ce n'était plus de la lumière, c'était une sorte de miel sans éclat qui se répandait dans la nuit, une vraie mare à présent, s'élargissant dans l'obscurité totale. Il faisait si noir dans notre chambre que je ne voyais même pas le lit de Louis.

— Lou, bon Dieu, réveille-toi ! Regarde ça, je te dis !

Ma main trouva enfin le câble de notre lampe, puis l'interrupteur. J'allumai avec un immense soulagement.

— Regarde, Lou !

Mais le lit de Louis était vide.

Pas même défait.

Louis n'était plus dans la chambre.

Et tout son équipement avait disparu.

La surprise me fit tirer si violemment sur le câble que la lampe valdingua contre le mur. Son ampoule explosa comme un fruit. Explosion jaune. Un jaune beaucoup plus vif que le miel de la veilleuse mais une coulée tout aussi constante. On aurait dit de l'or. En tout cas l'or de ces petites fleurs de prairie que ma mère appelait boutons-d'or. C'était exactement ça : une éclaboussure de bouton-d'or contre le mur et, sur le sol, cette coulée très jaune qui, elle non plus, n'éclairait rien. Il faisait même de plus en plus noir dans notre chambre.

3

Je saisis à tâtons mon sac de randonnée, le vidai sur mon lit, jetant mes affaires les unes après les autres, jusqu'à ce que mes doigts reconnaissent ma lampe frontale, celle que mon père nous obligeait à porter quand nous faisions de la spéléo.

Mon front, à présent, éclairait la chambre. Le lit de Louis était vide, oui, et ses affaires avaient bien disparu. Notre lampe de chevet gisait bien sur le sol, une coulée d'or sans éclat s'en échappait, qui allait atteindre la porte avant moi si je ne me dépêchais pas de sortir.

— Papa ! Maman !

Je me suis rué hors de la chambre.

J'ai sauté par-dessus la flaque, j'ai couru dans le couloir, en évitant le miel de la veilleuse, en sautant d'îlot d'ombre en îlot d'ombre, comme on traverse une rivière de pierre en pierre, très attentif à ne pas glisser, à ne pas toucher la lumière, bref, à ne pas m'électrocuter.

— Papa ! Maman !

Je dévalai l'escalier et quand j'ouvris la porte du salon les parents n'y étaient pas. Il n'y avait plus que le poste de télévision. Je le dis aujourd'hui tranquillement mais, cette nuit-là, je restai plusieurs secondes debout devant ce poste sans comprendre ce que je voyais. La télé était éventrée. Il s'en écoulait une large nappe de lumière silencieuse, faite de visages qui se distendaient comme du chewing-gum (certaines bouches parlaient encore, on voyait le mouvement de leurs lèvres mais on n'entendait plus un mot), puis, à force de s'étirer, les visages perdaient toute forme et les couleurs se mêlaient les unes aux autres, comme faisait le chocolat sur mon lait avant qu'ils ne se mélangent. Je voyais tout cela et je me disais : c'est un court-circuit ! Cela paraît fou, mais je n'étais plus surpris par l'inondation de lumière. On s'habitue vite. Je me disais juste qu'avec mes bêtises j'avais dû provoquer un court-circuit général. Tout ce qui est branché dans la maison doit être foutu, me disais-je, le frigo, le téléphone, le chauffe-eau, tout a dû sauter. Il faut que je réveille papa, voilà l'urgence. Faut que je réveille papa, qu'on fonce au compteur électrique, qu'on coupe le courant pour que tout s'arrête, il n'y a pas d'autre solution, couper le courant et que tout rentre dans l'ordre !

Seulement, pour atteindre la chambre des parents, il fallait traverser le salon, presque entièrement inondé par la lumière marbrée de la télé. Oui, cette coulée me faisait aussi penser à la plaque de marbre sur la cheminée de ma grand-mère, une cheminée où trônait un saint Sébastien, la tête illuminée par l'or d'une immense auréole. Ce marbre était une pierre sombre et glacée où quantité de couleurs s'entremêlaient en figures changeantes, comme dans la lumière morte qui envahissait maintenant le salon. Je me souviens avoir roulé le tapis pour faire barrage à la flaque. Un instant la lumière s'arrêta, elle reflua même vers le téléviseur, juste le temps de me laisser atteindre la porte des parents. Quand je la refermai sur moi, la dernière chose que je vis, ce fut le salon inondé par cette coulée multicolore, que rejoignait une cascade de miel et d'or dégringolant sans bruit les marches de l'escalier. La cascade charriait mon équipement pour la randonnée. Les bouteilles d'air comprimé rebondissaient de marche en marche.

— Papa, maman, réveillez-vous !

Mais je sentis que je parlais dans une chambre vide. Mes parents n'y étaient pas. Je le sentais si fort que je n'osai pas regarder leur lit. Pourtant, il fallut bien me décider. Quand le faisceau de ma lampe frontale s'y posa enfin, je vis que le lit était vide en effet, comme celui de Louis, pas même défait lui non plus, et que leur équipement de randonnée avait disparu.

— Papa ! Maman !

Mais cette fois le cri resta dans ma gorge. Le faisceau de ma lampe balaya les quatre murs, il y rencontra les robes de chambre de mes parents, suspendues à leurs patères, puis il se perdit par la fenêtre ouverte.

De chaque côté de ce trou sombre, les rideaux ondulaient doucement sous le souffle de la nuit.

— Ils sont sortis par là, me dis-je.

Je traversai la chambre et enjambai la fenêtre à mon tour.

4

Je suppose que j'avais dans l'idée d'aller chercher du secours. Ou peut-être seulement de la compagnie. Je ne voulais plus rester seul dans cette maison. Je ne comprenais pas pourquoi ils m'avaient tous abandonné, papa, maman, Louis… Mes parents, mon meilleur copain… Ni pourquoi ils avaient emporté leur équipement. Ils n'étaient tout de même pas partis faire la randonnée sans moi ! Y avait-il un rapport avec l'inondation de lumière ? Étaient-ils furieux parce que j'avais provoqué cette catastrophe ? Tout de même, tout de même, on n'abandonne pas son enfant parce qu'il a fait une bêtise. Si grosse soit-elle ! On ne laisse pas tomber son meilleur ami en pleine nuit parce qu'il a eu raison dans une discussion d'avant sommeil ! Personne ne fait ça ! Surtout pas mes parents ! Surtout pas Louis ! Mon père et Moune, ma mère, étaient des parents si parfaits que je me demandais parfois si je ne les avais pas choisis moi-même avant ma naissance. Comme si, avant d'être conçus, tous les enfants du monde planaient au-dessus d'un gigantesque marché de parents (marché n'est pas le bon mot, ça fait un peu esclaves, mais je n'en trouve pas d'autre) et choisissaient ceux avec qui ils voulaient vivre.

— Sur quels critères, ce choix ? m'avait demandé Louis, deux ou trois ans plus tard, un soir que nous en débattions. Pourquoi ces parents-là et pas d'autres ?

— Je ne sais pas, l'intuition, on choisit les parents qui nous paraissent les plus sympas…

— Sympas ? Qu'est-ce que ça veut dire, sympas ?

— Sympas, quoi, comme mes parents ! Comme ta mère.

— Et comme mon père, peut-être ?

Silence embarrassé. Le père de Louis était mort quelques années plus tôt.

— C'est pour dire que ton critère « sympa » est insuffisant. Mon père était très sympa, il n'y avait pas plus sympa, mais il était aussi très mortel. Si c'est moi qui l'ai choisi je me suis un peu gouré, non ? J'aurais pu le choisir un peu moins « sympa » et un peu plus durable, tu ne trouves pas ?

Avec Louis, les conversations pouvaient partir de n'importe quoi, le choix des parents, l'électricité liquide, la différence entre les chiens et les chats, les garçons et les filles, vraiment n'importe quoi, et on ne savait jamais où elles nous menaient.

— Ce n'est pas nous qui choisissons nos parents, conclut-il ce soir-là, et ce n'est pas eux qui nous choisissent, c'est la grande loterie génétique.

— La quoi ?

— Laisse tomber, on finira demain.

Nos débats avaient principalement lieu le soir.

— Ne jamais finir une discussion avant de nous endormir, disait Louis, on risquerait de ne plus rien avoir à nous dire en nous réveillant, et ça, ce serait vraiment terrible.

Bref, cette nuit-là, la nuit de l'inondation, je suis sorti par la fenêtre des parents. Peut-être avaient-ils eu peur de traverser le salon, peut-être l'électricité liquide faisait-elle déjà barrage devant la porte de la maison, peut-être, face à la cascade de l'escalier qui charriait mes affaires de randonnée, n'avaient-ils pas osé ou pas pu monter nous sauver. Peut-être avaient-ils sauté par la fenêtre pour chercher du secours, tout simplement. C'était même l'hypothèse la plus vraisemblable. Ils ne m'avaient pas abandonné. Bien au contraire. Ils étaient allés chercher des voisins, les pompiers, la police, je ne sais quoi. Et maintenant c'était mon tour de passer par cette fenêtre.

5

Ce que je vis dehors me pétrifia. Ce n'était pas seulement notre maison qui était inondée, c'était la ville entière. Des cascades de lumière morte coulaient sur les façades des immeubles. Les appartements vomissaient comme des ivrognes en fin de fête : coulées d'or et de miel, coulées blanches et poussiéreuses des néons, coulées multicolores des téléviseurs, flots de marbre liquide, ça dégoulinait de toutes les fenêtres jusque sur les trottoirs, ça emportait les poubelles qui flottaient en se dandinant et c'était si glissant qu'au carrefour de l'église les voitures se rentraient dedans, malgré les efforts de l'agent qui gesticulait pour tenter de régler la circulation.

C'était un agent de mon enfance, avec pèlerine, képi et bâton blanc, un agent de cette époque-là. Il faisait très bien son boulot. On aurait dit un agent mécanique, planté là, sous le réverbère, au milieu de la place de l'église. Indifférent à l'inondation, il avait grimpé sur une chaise pour protéger ses pieds de la coulée de lumière et continuait à faire son devoir. Mais rien à faire, malgré son bâton et ses coups de sifflet, les voitures glissaient au carrefour et se percutaient comme des autos tamponneuses. De leurs phares éclatés coulait aussitôt une lumière molle qui s'ajoutait à l'affreuse soupe marmoréenne, où le rouge des feux de position laissait des arabesques sanguinolentes et tarabiscotées. Tout cela dans une nuit que plus rien n'éclairait. Parce que ce flot continu de lumière ne rayonnait pas davantage que tout à l'heure le miel de ma veilleuse. L'inondation envahissait une ville entièrement livrée à la nuit. Dans cette obscurité absolue, les seules sources lumineuses étaient l'ampoule du réverbère qui coiffait l'agent d'un cône de lumière blanche, l'enseigne rouge du tabac qui clignotait au coin de notre rue, les faisceaux des phares avant qu'ils n'explosent, et aussi les habitacles éclairés des voitures en perdition.

Oui, tous les conducteurs avaient allumé leur plafonnier au-dessus du rétroviseur, pour se rassurer j'imagine, et les voitures semblaient des bulles de lumière perdues dans la nuit, où je pouvais voir les maris et les femmes se disputer, les enfants et les parents, les frères et les sœurs, les petits et les grands, tout le monde accusant tout le monde, chacun estimant que c'était la faute de l'autre : Si tu n'avais pas fait sauter cette veilleuse, si tu n'avais pas fait tomber notre lampe de chevet, ce genre d'accusations, que je pouvais presque lire sur leurs lèvres, pendant que toutes les voitures, accidentées ou pas, étaient emportées par le fleuve de lumière morte, comme les poubelles tout à l'heure, leurs galeries encombrées de tout ce qu'on y avait ficelé à la hâte, y compris la voiture de mes parents, dont je voyais les visages passer maintenant sous notre fenêtre, mon père tirant de toutes ses forces impuissantes sur le frein à main, ma mère pleurant parce que son fils ne se décidait pas à sauter pour la rejoindre, mais sauter où, maman ? Dans ce torrent électrique ? Pour être grillé et emporté comme une vulgaire poubelle ? Pas question !

Apparemment tout le monde cherchait à fuir, ils n'avaient qu'une idée en tête, quitter la ville avant qu'elle ne soit complètement submergée par cette marée de lumière morte, tout entière engloutie, et chacun dans sa fuite ne pensait qu'à soi, tout le monde se fichait des autres, sauf ma mère qui appelait son fils, Moune le visage plaqué contre la vitre de la voiture, qui m'appelait, m'appelait, mais comment veux-tu que je saute là-dedans maman ?

L'agent, là-bas, se cramponnait maintenant au réverbère. Sa chaise avait été emportée par le courant. Il levait les pieds très haut pour ne pas être électrocuté mais continuait de régler bravement la circulation en brandissant son bâton blanc de sa main libre et en sifflant plus fort que jamais.

— Monsieur l'agent !

J'ai fini par l'appeler, j'avais tellement besoin de lui !

— Monsieur l'agent, aidez-moi ! Je veux rejoindre mes parents !

Il avait trop à faire pour m'entendre. Les voitures continuaient à se rentrer dedans au carrefour et à être emportées par le fleuve maintenant torrentiel.

— Mais vous allez me regarder, oui !

Je fixais l'agent de toutes mes forces, comme tout à l'heure la veilleuse du couloir ; je me disais : Si je le fixe assez longtemps il finira par me voir et viendra à mon aide.

Il finit par me voir en effet.

Mais ne vint pas du tout à mon aide.

— Hé ! Vous, là-bas, sur la fenêtre, cria-t-il, vous

voulez bien éteindre votre lampe frontale ? Vous ne voyez pas que vous éblouissez tout le monde avec ce machin ? Regardez-moi toutes ces bagnoles qui se rentrent dedans à cause de vous !

Pendant qu'il hurlait dans ma direction – sa voix m'était bizarrement familière –, un camion dérapa, percuta le réverbère, soudain cassé comme un cou. Une douche de lumière blanche tomba sur la tête de l'agent et mon cœur cessa de battre. Il va mourir électrocuté ! me dis-je. Je vais être le seul survivant de la ville !

— Éteignez-moi cette lampe frontale tout de suite, nom d'un chien, ou je vous éblouis, moi aussi !

Non seulement il n'avait pas été électrocuté mais il marchait vers moi, traversant le torrent à grandes enjambées furieuses. Il brandissait une de ces longues lampes torches avec lesquelles, dans les films américains, les policiers inspectent les voitures abandonnées. Il dégoulinait de lumière liquide et ses jambes faisaient des vagues de marbre dans le torrent silencieux.

— Ça t'amuse, mon p'tit pote, que je sois trempé comme une soupe ?

(Mais où avais-je entendu cette voix ?) Quand il fut juste en face de moi, il s'ébroua comme un chien. Un éventail de gouttelettes se déploya autour de son képi, scintillantes sous le faisceau de ma lampe frontale comme la grande auréole de saint Sébastien sur la cheminée de ma grand-mère.

Il alluma sa lampe torche et la braqua sur moi.

— Allez, assez roupillé, debout mon p'tit pote !

6

Je me suis réveillé face à Louis qui m'éblouissait avec sa frontale tout en me versant sa gourde d'eau sur la tête. Son lit était fait, son sac sur son dos, il était fin prêt pour la randonnée, et c'est moi qui étais trempé comme une soupe, assis en sursaut dans mes draps inondés.

— Alors, les gars, vous descendez ou on part sans vous ?

C'était la voix de mon père en bas de l'escalier.

— Allez ! Magne-toi, confirma Louis, ils nous attendent.

Il me jeta une serviette et dévala l'escalier.

II

SOUS UN RÊVE DE FEDERICO

Le spectacle commençait dès que je fermais les yeux.

FEDERICO FELLINI
Le livre de mes rêves

7

Dans la voiture, bien sûr, je leur ai raconté mon rêve.

— Mais ça ressemble beaucoup au rêve de Federico ! s'exclama ma mère.

Elle parlait du dessin de Fellini qu'elle avait accroché dans ma chambre.

— Toi aussi, tu devrais les noter, tes rêves, me dit mon père.

Il fallut expliquer à Louis qui était Federico Fellini : un cinéaste italien que maman vénérait. Elle avait travaillé aux costumes sur plusieurs de ses films. Elle était même descendue à Rome, au studio 5 de Cinecittà, où Fellini tournait tout ce qui lui passait par la tête. Un matin il avait déchiré la page du grand livre de comptes sur lequel il dessinait ses rêves et avait tendu à Moune celui qu'il venait de faire. Elle l'avait encadré et suspendu dans ma chambre.

— Fellini note et dessine ses rêves à la seconde où il se réveille.

— Il a raison, approuva Louis, les rêves ça s'évapore comme la flotte sous le soleil.

C'était un été chaud. Le soleil découpait sèchement les montagnes.

J'ai demandé :

— Vous le faites, vous ? Vous les notez, vos rêves ?

— Nos rêves n'arrivent pas à la cheville des tiens, répondit Louis, ils n'ont aucun intérêt. Toi, tu es vraiment le roi des rêveurs ! À côté de toi, j'ai l'impression de ne pas savoir rêver.

Ce qui fit rire ma mère :

— Qu'est-ce qui te prend, Louis, tu fais des compliments à ton copain maintenant ? C'est nouveau ça !

Tout en regardant défiler le paysage, Louis répondit :

— Je suis très sérieux. Mon pote est un rêveur génial. Quand nous serons grands, il sera écrivain. Ou cinéaste peut-être, comme votre copain, là...

— Fellini, dit maman.

— Fellini, dit Louis.

— Et toi, demanda papa, qu'est-ce que tu seras, toi ?

— Moi ?

Après une hésitation, Louis répondit :

— Moi, je serai personnage.

C'est ce qui s'est passé. Je suis devenu écrivain, j'ai écrit des essais, des romans, des bandes dessinées, des scénarios, des pièces de théâtre, j'ai raconté toutes sortes d'histoires, pour les adultes comme pour les enfants. J'ai même écrit une série de nouvelles sur notre adolescence commune dont Louis était le personnage principal. Dans ces nouvelles, je l'appelais Kamo. Le nom est devenu un titre générique. Les jeunes lecteurs disent les Kamo, un Kamo, mon Kamo. Ils pourraient aussi bien dire un Louis, mon Louis.

8

Ce matin-là donc, dans la voiture qui nous menait sur les lieux de notre randonnée, la conversation tournait autour de mon rêve. Louis avait posé une question intéressante : sait-on vraiment *quand* commence un rêve ?

— Par exemple, le tien, me demanda-t-il, quand a-t-il commencé, d'après toi ?

J'étais sûr de ma réponse :

— Quand l'ampoule de la veilleuse a explosé et que j'ai vu le miel couler sur le lino ! Ça, dans la réalité, ça n'existe pas. Je l'ai rêvé. Et faire exploser une ampoule en la regardant fixement, c'est impossible en vrai !

— D'autant moins possible, dit ma mère, qu'il n'y avait pas de veilleuse dans le couloir.

Je mis un certain temps à comprendre ce qu'elle venait de dire.

— La veilleuse n'y était pas ? Mais je l'ai vue, avant de m'endormir !

— Non, tu l'as vue *après* t'être endormi, corrigea mon père en me jetant un coup d'œil amusé dans le rétroviseur.

— On a retiré la veilleuse le soir de tes cinq ans, compléta ma mère. Souviens-toi, tu nous l'avais demandé comme cadeau d'anniversaire : « Je ne suis plus un bébé, je n'ai plus besoin de la veilleuse ! Je veux qu'on l'enlève ! J'ai cinq ans ! »

— Donc, cette nuit, conclut Louis, la veilleuse, tu l'as rêvée.

Incroyable...

— Ce qui repose la question du début. Quand ton rêve a-t-il vraiment commencé ?

Cette fois, je réfléchis avant de répondre.

— Peut-être quand les parents sont allés se coucher. Je n'ai plus entendu la télé et je me suis endormi.

— Quelle télé ? a demandé mon père.

Silence. Ici, dans le Vercors, nous n'avions pas la télévision, nous ne l'avions jamais eue. La télé, c'était à Paris.

— Alors ? demanda Louis.

À partir de là, j'y suis allé prudemment :

— Moune, hier soir, pendant que nous bavardions Lou et moi, tu es bien montée pour nous faire taire ?

— Hier soir, mon lapin, je dormais. Vous auriez pu faire tout le boucan du monde, ça ne m'aurait pas réveillée.

— Elle a essayé de lire un peu, précisa mon père, mais elle s'est endormie au bout de deux pages. Je lui ai retiré ses lunettes, j'ai refermé son livre et j'ai éteint. Moi aussi je tombais de sommeil.

Mes certitudes s'effondraient les unes après les autres. Je me sentais comme un de ces personnages de dessin animé, qui continuent de courir quand ils n'ont plus le sol sous leurs pieds.

— Alors ? insista Louis.

Alors, je n'étais plus sûr de rien.

— Rassure-moi, Lou, toi et moi on a bien parlé de la lumière avant de nous endormir ?

— Oui. Tu prétendais que la lumière c'est de la flotte.

Mon père leva le doigt de la connaissance :

— Ce qui, en montagne, n'est pas faux. De l'énergie hydroélectrique, en tout cas. Métaphoriquement, on peut donc dire que la lumière c'est de l'eau.

— Tant que tu y es, suggéra ma mère, explique-leur ce qu'est une métaphore.

Mais au point où j'en étais, peu m'importait d'apprendre un mot nouveau ou de savoir si j'avais eu tort ou raison dans ma discussion avec Louis. Tout ce que je voulais savoir, c'était quand ce rêve avait commencé. À présent, je remontais dans ma mémoire en tâtant le sol du bout du pied.

— Dans notre discussion sur la lumière liquide, Lou, tu n'étais pas d'accord avec moi, c'est bien la réalité, ça ?

— Je te disais que tu n'avais peut-être pas bien compris les explications du maître.

Vrai.

— Et tu t'es retourné vers le mur en disant : « On verra ça demain quand tu auras mon âge. »

— J'ai dit ça ?

Louis semblait sincèrement surpris :

— Pourquoi j'aurais dit ça ?

Il n'avait pas pu dire ça. Nous n'avons pas un jour mais huit mois de différence, Louis et moi. Il est né en avril, moi en décembre.

Cette fois, il éclata de rire :

— Voilà ! Ça c'est une idée de raconteur d'histoires !

Les deux meilleurs amis du monde qui ont un seul jour de différence et l'aîné qui n'arrête pas de bassiner l'autre en lui répétant : « Tu verras, demain, quand tu auras mon âge ! » Il faut être un raconteur d'histoires pour imaginer ça ! Il sera écrivain, je vous dis ! Je suis prêt à le parier ! Ou cinéaste, comme votre copain, là…

— Fellini, précisa maman.

Après quoi, il posa une nouvelle question :

— Mais, dis-nous, quand tu t'es penché par la fenêtre, ça ne t'a pas surpris de voir une ville à la place de notre paysage habituel ?

9

Louis avait raison. Chaque matin depuis toujours, quand j'ouvre les volets sur le Vercors, c'est un paysage qui s'offre à moi. Et quel paysage ! Pas une seule maison jusqu'à l'horizon, au nord comme au sud. Rien que le moutonnement sombre de la forêt, au loin, sur les contreforts de la montagne, et le lent encerclement des champs de blé autour de nous. L'explosion des nuages, aussi, immensément blancs dans le ciel bleu. Les arbres que mes parents ont plantés dans ma petite enfance s'épanouissent aujourd'hui très au-dessus de la maison. Ils regardent nos générations de haut. Les arbres, ici, le tronc soyeux des bouleaux, la ramure formidable des hêtres, les sapins couchés par le vent du nord, les grappes lumineuses des sorbiers à la fin du mois d'août, tous ces arbres dans tout ce vide me parlent de toute ma vie. Un écrivain, même bourré d'imagination, ça n'invente pas grand-chose. La plupart de mes trouvailles sont des souvenirs qui font des histoires. Et ces histoires, je les écris ici, dans la cabane que mon père, jadis, a construite pour ma mère. Elle est en planches. Elle a, comme moi, blanchi avec le temps. Elle a résisté aux froids terribles des hivers, au poids écrasant de la neige, aux pluies torrentielles des printemps, aux étés de plus en plus brûlants et au vent surtout, qui souffle ici presque toute l'année et qui a fini par lui donner son air penché.

Le vent a soufflé les années mais la cabane est toujours debout, moi dedans. Il y a tant à raconter encore…

Sur le fronton de la cabane, mon père a peint le nom de ma mère et la date où il l'a construite pour elle. Louis et moi étions alors si petits que nous faisions semblant de l'aider.

10

— Donc ça ne t'a pas surpris de trouver une ville à la place de notre paysage ?

Non, la surprise c'était l'inondation de lumière, les appartements qui vomissaient, les murs dégoulinants, la soupe de marbre qui coulait dans les rues, les poubelles que le courant emportait, tout ce mouvement de lumière morte dans cette ville que je ne connaissais pas et qui pourtant m'était familière.

— Tu pourrais nous la décrire ?

— Quoi ?

— La ville.

Ils voulurent que je la leur décrive le plus précisément possible. Le carrefour de l'église, bon, oui, mais y avait-il une église, à ce carrefour ? Oui. Quel genre d'église ? Avec un clocher pointu, un clocher en lauzes, comme souvent les églises de montagne, et un cimetière derrière elle, comme l'église de la rue de Bagnolet, à Paris, au-delà de la rue des Pyrénées...

— Comment pouvais-tu voir le cimetière, s'il était derrière l'église ?

Je le devinais. Je me disais que l'inondation avait épargné les tombes en le contournant. Je me disais que si la coulée de lumière avait envahi le cimetière, l'inondation se serait arrêtée. C'était la vitesse qu'elle avait acquise dans les rues en pente, le long de son mur, qui avait créé la grande pagaille du carrefour.

— Le nom des rues ? demanda Louis.

Rue du Repos et rue de la Paix. Avec, au coin de la rue de la Paix et de notre rue à nous, un bureau de tabac dont la carotte rouge clignotait.

— Le nom du tabac ?

— Tabac de la Paix.

Plus ils m'interrogeaient, plus me revenaient des détails qui, sur le moment, ne m'avaient pas frappé.

— Peut-être que tout ça tu l'inventes maintenant, suggéra Louis.

Je jurai que non mais ce n'était pas impossible. Plus tard, en notant mes rêves (je les ai notés toute ma vie à partir de ce jour), j'ai observé que raconter un rêve c'est l'imaginer autant que s'en souvenir. C'est transformer la sensation en récit. Au strict sens de l'expression, c'est faire des histoires. Il arrive même qu'à l'intérieur du rêve le rêveur soit à ce point saisi par un détail qu'il se dise : Il ne faut surtout pas que j'oublie de noter ça demain matin !

— À propos, intervint mon père, il n'y a jamais eu de cheminée chez ta grand-mère. Donc pas de plaque de marbre sur la cheminée. Et pas de saint Sébastien à grande auréole non plus.

— Tu es sûr ?

— Aussi sûr que ta grand-mère était ma mère ! À Noël,

nous ne mettions pas nos chaussures devant une cheminée, il n'y en avait pas. Nous les déposions autour d'un sapin.

— Et pas de saint Sébastien ?

— Pas de saint Sébastien.

11

De la randonnée elle-même je n'ai pas de souvenir précis. Il faut dire que nous en avons tant fait dans mon enfance que je les confonds un peu. D'ailleurs, la plupart de mes souvenirs ont trait à Louis et sont, par conséquent, à fort coefficient romanesque, autant dire des souvenirs oniriques : le jour où Louis a pêché à la main les quatre truites du déjeuner, le jour où Louis est entré tout entier dans un trou de marmotte pour en ressortir avec la propriétaire dans les bras, en gueulant « Je vais l'adopter, cette grosse fille » (huit points de suture, la grosse fille n'était pas d'accord et ses dents étaient des rasoirs), le jour où Louis a si bien parlementé avec l'âne qui portait nos affaires que l'âne est retourné de lui-même chez le loueur sans qu'on n'y puisse rien, le jour où Louis a sauvé une gamine coincée dans une grotte pendant que ses parents, trop volumineux pour y pénétrer, hurlaient à la mort, le jour où le vélo de Louis a été stoppé par un muret et que mon copain a continué un bout de la randonnée en volant (scène que j'ai reproduite dans un Kamo), le jour où Louis a sauvé un circaète Jean-le-Blanc blessé par une bande de corbeaux et s'est fait chasseur de serpents pour nourrir son rapace pendant le reste des vacances, le jour où Louis a descendu la falaise du mont Aiguille sans corde de rappel…

Le jour où Louis ne vint pas…

Le jour où pour la première fois j'ai passé mes vacances loin des parents.

Le jour où nous sommes devenus adultes…

Le jour où nous sommes devenus âgés…

Et ce jour d'aujourd'hui où j'écris ces pages dans la cabane penchée parce que ma fille, Alice, a retrouvé le carnet que ma mère m'avait offert au retour de cette randonnée pour y noter mes rêves.

12

Cette nuit-là, d'ailleurs, j'avais rêvé. C'est le tout premier rêve noté dans ce premier carnet. Mon père avait dû nous expliquer l'essentiel sur l'électricité – comme quoi elle est constituée d'ondes électromagnétiques et qu'elle se déplace à trois cent mille kilomètres-seconde –, parce que j'ai passé une partie de la nuit à poursuivre Louis à l'intérieur d'un fil électrique qui faisait trois cent soixante-cinq fois le tour de la Terre, et nous courions si vite (trois cent mille kilomètres-seconde) que la Terre s'est allumée peu à peu et qu'elle a fini par briller comme l'ampoule d'une veilleuse dans un firmament sans étoile.

13

Donc, Louis et moi avons grandi, nos parents sont morts, des enfants sont nés, qui ont fait des enfants à leur tour (j'entends les jumelles se chamailler pendant que j'écris ces lignes dans la cabane penchée). Toute ma vie, je suis resté fidèle à la maison du Vercors, devenue le point de ralliement de la tribu et le cadre de certains de mes romans.

À chaque visite de Louis ici (il arrive toujours à l'improviste et c'est chaque fois la même heureuse surprise), les enfants nous imposent un rituel : passer une nuit ensemble, lui et moi, dans notre chambre d'enfants, celle-là même où nous bavardions au début de ce récit, qui est depuis toujours la chambre des plus petits, en l'occurrence aujourd'hui la chambre de Mila et de Nora. Passer une nuit dans notre chambre d'enfants pour donner à un nouveau Kamo une chance de naître. C'est déjà arrivé : *L'agence Babel* et *L'évasion de Kamo* ont été conçus dans cette chambre, à partir de nos bavardages. Une nuit par an, donc, minimum, c'est un ordre.

Que les jumelles nous ont donné ce soir, à l'heure et dans les termes où nous les envoyons ordinairement se coucher :

— Allez, au pieu les vieux, c'est l'heure !

14

De quoi parlent les enfants dans leurs chambres d'enfants ? De leurs parents. De quoi parlent les parents ? De leurs enfants. De quoi parlent les grands-parents ? De leur santé.

On a expédié le sujet, Louis et moi :

— Ça va, toi ?

— Ça va. Avarié mais rien de cassé. Et toi, ça va ?

— Ça fonctionne à peu près.

Sur quoi, nous sommes passés à autre chose :

— J'écris un Kamo, dis-je.

Louis a demandé :

— Les enfants le savent ?

— Pas encore.

— Tant mieux, ils croiront que c'est le fruit de notre copulation.

Puis, nous avons parlé des enfants en question, de nos femmes, des uns et des autres, de tout un chacun : Minne et sa conquête du Japon médicinal, Charlotte et la politique culturelle de Marseille, Vincent et le droit de l'immigration, la rencontre de Christofo avec une Corentine fort appréciée par la tribu, celle de Carole avec un dessinateur à l'œil aigu dans une tête ronde, Kahina et la vitalité de ses jumelles, l'épopée chinoise de Gil, Loïc et la construction de sa maison de santé, Manue et ses tournées théâtrales, Kyoko et sa liaison avec Maupassant, l'homosexualité d'Alex enfin décomplexée, Rolf toujours partagé entre le Québec, l'Inde et le Mexique, les rébus inimitables de Fanchon, la musique d'Alice, dont Louis et moi suivons avec passion les recherches instrumentales, Anna qui lit de plus en plus et nous éclaire de mieux en mieux, et les questions très directes de Lulle qui, tout à l'heure, nous a demandé, à Louis et à moi, ce que nous éprouvions quant au fait de vieillir :

— Qu'est-ce que vous ressentez, vous autres, les vieux ?

Depuis qu'il sait parler, Lulle mène sur la vie des investigations d'une tranquille ténacité. J'aime beaucoup sa persévérance exploratoire.

Je lui ai demandé :

— Ce qu'on ressent à quel point de vue ?

— Celui du vieillissement.

Vieillir ? Ce que vieillir veut dire…

Louis a répondu le premier :

— C'est sentir les années passer comme des semaines, quand les semaines sont pour toi des années.

Et moi j'ai répondu :

— C'est éprouver le poids du ciel.

— Une réponse d'hyperactif contre une réponse de contemplatif, a commenté Alice.

— Ou une intuition de matheux contre une proposition de physicien, a suggéré Christofo : d'un côté le passage du temps perçu comme progression logarithmique, de l'autre l'usure physique vécue comme un accroissement de la pesanteur.

C'est à cet instant que les jumelles ont surgi de la cuisine avec l'autorité d'une seule et minuscule mère future :

— Allez, au pieu les vieux, c'est l'heure !

15

Une fois la tribu passée au crible, Louis a changé de sujet :

— Alors, qu'est-ce qu'il raconte, ce nouveau Kamo ?

— Tu sais, cette inondation de lumière, quand on était gosses…

Non, Louis ne savait pas. Il ne savait plus. Il ne se souvenait pas de mon premier rêve homologué. Parmi nos innombrables discussions nocturnes, cette histoire de lumière liquide ne lui disait plus rien. En revanche, il se rappelait l'allusion de ma mère à Fellini quand elle m'avait recommandé de noter mes rêves :

— Elle l'aimait, son Fellini, dit-il. Ton père, mi-fier mi-raisin, si tu vois ce que je veux dire… Il (Federico) appréciait beaucoup les dessins de ta mère, ses dessins de modiste, ses robes et ses chapeaux. « On dirait que vos chapeaux imaginent les visages », il lui avait sorti une phrase de ce genre, « et vos robes font rêver aux corps de mes songes ». C'était l'époque où elle avait décidé d'habiller joliment les grosses dames.

En matière d'enfance, Louis a toujours été ma mémoire vive. Ce soir-là, il me rappela aussi qu'il gardait un bon souvenir de la randonnée à l'usine hydroélectrique.

— C'est le jour où ton père nous a appris la plongée sous-marine, tu ne t'en souviens pas ? Un excellent moyen de s'affranchir des lois de la pesanteur, soit dit en passant.

Nager sous l'eau… oui… J'avais conservé, intense, le souvenir de la sensation : cette libération de la pesanteur, quand mon père m'avait fait basculer avec mes bouteilles et ma combinaison de plongée, dos au lac et palmes en l'air (« Comme les plongeurs professionnels, fiston ! ») : sous l'eau, je ne pesais plus rien. Je planais. C'était une sensation à la fois nouvelle et immémoriale, comme si je découvrais qu'il était dans ma nature de planer, que la marche, par comparaison, était une nécessité accidentelle, voire un préjugé d'espèce. Je m'étais aussitôt dit que je passerais ma vie sous l'eau.

— Et pourtant, dis-je à Louis, je n'ai presque plus jamais plongé. Une ou deux fois, peut-être.

— Tu as toujours été comme ça. Tu as toujours cultivé le souvenir de la sensation plutôt que sa répétition. C'est ce qui fait de toi un écrivain, j'imagine. Moi, il faut que je remette le couvert tous les jours.

Le sommeil commençait à empâter sa voix.

— N'empêche, dit-il encore, le ciel pèserait moins lourd sur tes épaules si tu vivais sous l'eau…

Et c'est là qu'est né le projet :

— Dis donc, si on y allait demain ? a proposé Louis. Sans les gosses. Allez, on y va ! On retourne au grand barrage. Cinquante-cinq ans après, tu te rends compte ? On y va tous les deux, on loue l'équipement : combinaison, palmes, bouteilles, et on se libère de la pesanteur…

Comme toujours avec Louis, aussitôt dit aussitôt fait.

III

LA QUESTION DU DÉCOR

Je l'approche de mes yeux. Il y a écrit : « *Be careful.* » Mais à qui, à quoi dois-je faire attention ?

FEDERICO FELLINI
Il Grifo, 1991

16

L'endroit avait beaucoup changé depuis notre enfance, bien sûr. Très construit désormais. Hôtels, piscines, pontons, ski nautique et, autour des berges que cernaient les montagnes, un double ruban d'asphalte.

— C'était un chemin muletier quand on était gosses, affirma Louis.

La retenue d'eau était aujourd'hui un grand lac, l'usine hydroélectrique désaffectée était devenue un restaurant ouvert sur ledit lac, le barrage une plage parquetée, vaste courbe hérissée de plongeoirs, où déambulait le corps tatoué de la jeunesse. D'ailleurs, il y avait longtemps que je ne l'avais pas vue nue, la jeunesse. Tiens, me dis-je, il faudra que je signale cet effet du vieillissement à Lulle : ne plus savoir à quoi ressemble le corps de la jeunesse ! Et que je lui demande le pourquoi de ces tatouages. Tous tatoués comme un seul corps. À quoi rime un si uniforme désir de singularité ?

Au fond j'aurai passé ma vie à questionner les autres : demander à mes parents le nom des choses, des plantes et des bêtes, demander un peu de sens aux livres et demander aux derniers-nés le pourquoi de leurs coutumes...

17

Toutes pensées qui s'évaporèrent pendant que l'eau se réchauffait entre ma peau et ma combinaison de plongée. Une claque froide, puis cette sensation de mettre tout un lac à votre température. C'était bien ce que j'avais ressenti la première fois, avec mon père : la gifle glacée du lac, puis la conquête d'une parfaite jouissance amniotique et, avec elle, l'aptitude à me mouvoir dans toutes les dimensions. Libéré de la pesanteur, bel et bien ! Comment ai-je pu me passer de ce délice ma vie durant ? Comment ai-je pu troquer le corps de l'ange contre son seul souvenir ? Car ce n'est pas comme un poisson ni comme un oiseau que se meut le nageur dans l'éternité de l'eau, c'est comme un ange... La surprise de ne plus rien peser ! Oh, ces retrouvailles avec mon corps idéel ! L'abolition de la durée, aussi. Oh l'éternité des profondeurs ! Je me suis mis à jouer comme un enfant : courser les bulles, prendre mes chevilles avec mes mains, cabrioler, vriller, comme la première fois. Louis me regardait en se tapant le front de l'index. Je crois qu'il riait. Pour lui sourire, j'ai ôté mon masque, comme on fait toujours en plongée quand on veut le vider de son eau, et je me suis aperçu que je n'avais pas non plus oublié ce geste-là. Je n'ai rien oublié, me disais-je, rien oublié de ce qui aurait fait de moi un plongeur si j'avais passé ma vie à plonger. Tous les gestes y sont, les instincts illico retrouvés, aussi naturellement que si je remontais sur une bicyclette. Aisance parfaite. Liberté de l'ange. Éternité sans pesanteur. Adieu le poids des ans. Retour à l'inépuisable énergie de l'enfance ! J'aurais pu faire durer mes jeux éternellement si Louis ne m'avait pas tapé sur l'épaule et fait signe de le suivre. Cette fois, nous avons plongé pour de bon.

18

Je ne me suis pas demandé jusqu'à quelle profondeur mon vieil ami m'entraînerait ni si, en remontant, je saurais encore respecter les paliers de décompression. J'ai plongé comme s'il n'y avait plus ni fond ni surface, j'ai plongé dans mon élément, comme si je vivais désormais dans la couleur et la compagnie oblique de la lumière. Je suivais Louis sous l'eau comme jamais je n'avais pu le suivre dans notre tumultueuse jeunesse. Ce n'étaient pas mes muscles qui me propulsaient, c'était le seul désir d'être, être absolument là, dans mon élément retrouvé, sans âge et sans projet, comme sont les poissons que je n'effrayais pas, ces chevesnes dont j'accompagnais les bandes, cette carpe immobile que j'aurais pu prendre dans mes bras... N'être rien d'autre que la sensation d'être, et me complaire dans ces formules contentes, comme si j'écrivais sous l'eau, sans stylo, sans papier, avec des mots solubles.

J'en étais là de mes divagations sous-marines quand Louis me montra quelque chose.

Son doigt insistait.

19

C'était une surface grise, qui chatoyait doucement aux rayons noyés du soleil. Je ne l'ai pas identifiée, d'abord. J'ai surtout été frappé par son immobilité. (Cette immobilité des choses immergées...) Pendant que Louis poursuivait son exploration en profondeur, je me suis approché, j'ai posé ma main sur de l'ardoise ; un grand pan d'ardoise sur une toiture qui s'évasait vers le bas et s'affinait vers le haut. Je mis quelques secondes à identifier ce que je voyais là ; c'était si extravagant de trouver ça sous l'eau ! Le toit d'une église... Un clocher ! Avec, à son sommet, une croix où courait encore le câble rouillé d'un paratonnerre. Je me suis laissé remonter, me remplissant d'air pour gagner en altitude, mes poumons retrouvant instinctivement leur fonction de ballasts.

Quelques mètres à peine au-dessus de la croix (deux ou trois tout au plus) miroitaient la surface du lac, la fin de l'eau, le couvercle du ciel. De jeunes tatoués tournicotaient autour du clocher. Ils plongeaient comme des torpilles et leurs corps pétillants remontaient comme des bouchons. Je les imaginais, jaillissant à la surface, éjectés par l'énergie de leur jeunesse et prêts à replonger aussitôt. D'autres, qui portaient comme moi des bouteilles d'air comprimé, pénétrèrent comme moi dans l'église par les ouvertures du clocher, constatant comme moi que les cloches n'y étaient plus, tournoyèrent comme moi dans un étroit escalier en colimaçon dont la porte moussue nous expulsa dans le grand volume d'une nef sans autel et sans chaises. À y repenser aujourd'hui, la première surprise passée, ce qui m'étonna vraiment, ce n'était pas de nager dans une église engloutie (après tout on ne fait pas de grands barrages sans casser d'œufs), mais c'était que les tatoués y prenaient des photos ! Avec leurs portables ! Qu'une de ces innombrables églises dont le XIXe siècle a saupoudré la France ait été sacrifiée à ce barrage (et probablement le village qui allait avec elle) me surprenait moins que la découverte du tatouage universel et du smartphone étanche. *Ecce* la vieillesse. Malgré toute notre expérience, nous autres les vieux – comme dirait Lulle – ne sommes toujours pas maîtres de nos stupeurs.

J'ai nagé vers le porche où m'attendait Louis et nous nous sommes retrouvés sur la place de l'église.

20

Hormis le fait que j'avais cru son clocher en lauzes quand il était d'ardoise, c'était exactement l'église de mon rêve d'enfant, flanquée de ses deux ruelles en pente et dont le parvis donnait sur une place où se dressait encore le squelette d'un réverbère au cou cassé.

Pourquoi le souvenir de mes rêves dure-t-il si longtemps alors que, dans ma vie diurne, je ne me souviens de rien ? Noms, visages, adresses, rendez-vous, anniversaires, numéros de téléphone, codes de ceci et de cela, titres de romans ou de films, événements privés ou publics, documentation nécessaire à mes livres, projets et rendez-vous, j'oublie depuis toujours tout ce qui peut m'être utile, quand mes rêves les plus anciens demeurent, eux, à disposition permanente de ma mémoire. Amnésique de naissance, je fais des rêves inoxydables. Un rien me les rappelle. (Encore qu'une église engloutie dans un lac de montagne puisse difficilement être classée parmi les riens.) Dès qu'un détail les convoque, mes rêves reviennent à moi aussi tenaces que ces papiers peints de notre enfance que nous ne pouvons décoller de notre mémoire.

Louis me fit signe de le suivre. Il avait quelque chose de précis à me montrer. Je nageai vers lui parmi les jeunes tatoués qui baguenaudaient autour de l'église à petits battements de palmes, le dos un peu cambré, les bras le long de leurs corps irréprochables. Des amoureux, souvent. Celui-ci montrant ceci à celle-là. Celle-ci, dans une brusque accélération, entraînant celui-ci vers cela. Leur attention ne se fixait que quelques secondes sur l'objet de leur curiosité ; immobiles et vifs comme des poissons, ils bifurquaient soudain, en quête d'un nouvel émerveillement. On aurait dit qu'ils jouaient à regarder.

Quand j'eus rejoint Louis, il me montra la plaque de la rue dont il venait de gratter la mousse. *Rue du Repos*, oui. Et de l'autre côté de l'église, à n'en pas douter, *Rue de la Paix*. Et, le long des deux rues en pente, le muret du cimetière, et, dans le cimetière lui-même, les tombes, vides, leur dalle posée à côté de la fosse. On a déménagé leurs morts avant d'inonder leur village, me dis-je. Les morts auront été les seuls rescapés de cet engloutissement.

21

J'en conclus que Louis m'avait menti. Il se souvenait parfaitement de mon rêve d'enfant et ne nous avait pas menés ici par hasard. Il connaissait l'existence de ce hameau englouti. Il avait préparé son coup de longue date, choisi le jour, loué l'équipement, réservé l'heure de plongée... Du Louis tout craché. À ses yeux, la vie ne valait que si elle était surprenante. Et comment m'épater davantage qu'en me plongeant tout lucide dans le décor réel d'un rêve que j'avais fait pendant notre enfance commune ? M'offrir, un demi-siècle plus tard, ce bourg sacrifié aux exigences de l'électricité de montagne et métamorphosé en Disneyland sous-marin. Émerveillement assuré.

Ce qui, me dis-je aussi, n'empêchera pas Louis, quand nous serons sortis de l'eau, de pester contre notre civilisation mortifère, acharnée à célébrer les étapes de sa disparition. Je connaissais ses discours sur ce sujet : « L'essentiel de nos distractions consiste à nous regarder mourir. J'engloutis un village dont je fais un parc d'attractions, je détraque les enjeux climatiques au profit de blockbusters catastrophes, la guerre est partout le chaudron de la fiction, nous cuisinons nos propres tripes à la sauce de l'Entertainment, le tout au nom de notre mémoire et de notre vigilance, bien sûr. Ah ! notre pieuse mémoire ! Ah ! notre irréprochable vigilance ! »

Il ne servait à rien de lui objecter la découverte des antibiotiques, la fin des pandémies, l'explosion démographique, la nourriture pour tous ou presque, la communication universelle et le considérable allongement de la vie : « Très bien ! Nous serons d'innombrables vieillards à savoir que nous crevons le ventre plein. Très bien ! »

Il nous servait ce genre de discours quand il était surmené.

22

Et mon père, là-dedans ? Connaissait-il l'existence du village englouti quand il avait organisé sa « mégarando » ? Si oui, pourquoi ne nous avait-il pas fait plonger au-dessus du clocher, comme les jeunes tatoués d'aujourd'hui ? S'était-il ravisé à la dernière minute ? Les lieux n'étant pas alors aménagés pour la distraction de masse, avait-il craint l'accident ? Consulté ma mère ? C'était notre première plongée, après tout. Trop dangereux ? Une autre fois peut-être ? À moins que, ignorant l'emplacement exact du village sous l'eau (pour le trouver il s'était probablement fié à une ancienne carte routière), il ne nous ait fait plonger trop loin ? Et nous avions cherché l'Atlantide en vain, lui en poisson-pilote, nous en alevins suiveurs...

23

Tout de même, tout de même, si mes parents savaient où ils me conduisaient, qu'avaient-ils pensé de moi pendant que je leur racontais mon rêve ? Ils m'avaient écouté en se taisant. Pendant tout le voyage ils avaient, d'un commun et muet accord, gardé le secret sur notre destination. Mais que pensaient-ils de mon rêve ? Ce gosse est une pythie ? Nous avons mis au monde un enfant prémonitoire ? Car le village vers lequel nous roulions avait bel et bien été submergé par de la lumière liquide ! Ce que fuyait la noria des voitures aveugles et surchargées de mon rêve était bel et bien un tsunami de lumière morte ! Un rêve prémonitoire d'une grande portée métaphorique, voilà ce que leur fils leur racontait pendant qu'ils le conduisaient sur les lieux mêmes où s'était déroulé le rêve en question. S'ils ne m'ont pas considéré comme un génie ce matin-là, ils ont au moins dû admettre que j'étais un sacré phénomène ! Le rêveur des rêveurs ! Ne faudrait-il pas en parler à Fellini ? Qu'en penses-tu, chéri ? Ne crois-tu pas qu'il faudrait présenter le petit à Federico ? Surtout s'il est destiné à devenir écrivain !

Federico est un homme accueillant et direct, il le prendra sous son aile, il saura le guider, à sa façon débonnaire et souriante... Et puis, il s'y connaît en rêves, lui. Non seulement il note et dessine tous ceux qu'il fait, mais il en parle avec le professeur Bernhardt. Federico n'est pas un rêveur du dimanche, il sait que le rêve c'est la vie. Oui, tu as raison, mais non, on ne va pas embêter Fellini avec le petit. C'est un homme terriblement sollicité. Tu imagines le nombre de personnes qui doivent faire son siège ? Tout fan de Fellini rêve de rencontrer Federico. Fichons-lui la paix, tu veux ? Tu as déjà eu la chance inouïe de travailler pour lui... Laissons les choses se faire d'elles-mêmes. Plus tard, peut-être. Si le petit confirme ses dons...

Bref, je n'ai jamais rencontré Federico Fellini, mon cinéaste préféré. Vu tous ses films, plutôt vingt fois qu'une, mais rencontré, jamais. Le jour où j'ai appris sa mort, j'ai ressenti une culpabilité étrange. Un remords de pillard, dirais-je. Un peu comme si, Fellini m'ayant ouvert la caverne fabuleuse de ses images, je l'avais laissé tomber quand il avait cessé de tourner, donc de m'enchanter. Jouir et trahir, voilà ce que je lui avais fait. Mais non ! Mais si ! Mais non, je te dis. Rappelle-toi, ta mère ne t'a pas présenté à Fellini. Tu ne l'as jamais connu. Tu n'as aucune raison de tourner autour de son linceul comme Judas autour du Golgotha !

24

En sorte qu'une onde de mélancolie accompagnait maintenant ma promenade sous-marine avec Louis. J'aurais pu connaître Federico Fellini ! J'aurais pu assister à la métamorphose de ses rêves en films. J'aurais pu nager dans les eaux multicolores de Cinecittà. Y planer dans le fameux studio 5 avec le sourire dubitatif et un peu somnolent de Mastroianni... vers Anita Ekberg la pulpeuse méduse... vers Magali Noël, l'inoffensive murène... me glisser comme une anguille entre les seins de Maria Antonietta Beluzzi, la buraliste fabuleuse d'*Amarcord*. J'aurais pu remonter le moral de Federico quand il ne tournait plus... Et surtout quand il ne rêvait plus, ce qui advint à la fin de sa vie, à cause de l'âge (celui que j'ai aujourd'hui) et des somnifères. Voilà ce que j'aurais pu faire si seulement ma mère m'avait présenté à Federico Fellini !

Au lieu de quoi, me disais-je, je joue les poissons dans un aquarium à touristes où, j'en mettrais ma main à couper, aucun des jeunes tatoués qui nous entourent ne sait qui était Federico Fellini, ni seulement qu'il a existé.

— Lulle, mon petit Lulle, strictement entre toi et moi, je te le dis, vieillir c'est constater que plus personne ne connaît Federico Fellini.

— Et c'est ignorer le nom des jeunes réalisateurs d'aujourd'hui, rétorquera Lulle avec son sens inné de la symétrie.

25

Puis m'est venue une envie dont la satisfaction a mis fin à notre promenade sous-marine. Une fin brutale, je dois dire. L'envie d'assouvir ma curiosité *jusqu'au bout.* Louis m'a fait un sacré cadeau, me dis-je. Il n'est pas donné à tout le monde de visiter le décor d'un de ses rêves, de plonger en toute lucidité dans la *réalité du songe.* La moindre des choses est de profiter de la circonstance pour apporter ma contribution à l'onirologie. Voyons un peu de quoi était fait ce rêve d'enfant, puisque les circonstances me présentent aujourd'hui sa part de réalité. Voyons. Creusons. Allons aux détails. Aussi minutieusement qu'un policier sur une scène de crime. Commençons par l'autopsie méthodique du décor :

Rue du Repos et *Rue de la Paix*, bon, les rues d'ici portent en effet les noms qu'elles portaient dans mon rêve. Très bien.

Elles sont en forte pente et donnent sur la place de l'église, oui.

L'église est adossée au cimetière, bon.

L'inondation a épargné les morts, c'est vrai.

Au milieu de la place, le réverbère. Exact.

Son cou cassé, en effet.

J'ai donc, enfant, rêvé l'engloutissement d'un village qui existait bel et bien (je le prenais d'ailleurs pour une ville), village dont Louis m'offre la visite aujourd'hui que nous sommes vieux, voilà pour les faits. Comment ces faits ont-ils été rendus possibles ? On verra ça plus tard. Pour l'instant, regardons, regardons.

Tel était mon état d'esprit.

J'ai laissé Louis filer de son côté et j'ai redescendu la rue de la Paix jusqu'au tabac qui en faisait le coin. Je dis redescendre mais c'est la rue qui descendait. Moi, j'ai nagé droit vers l'enseigne, comme on tire un trait dans le ciel. Aucun doute, c'était bien le Tabac de la Paix, celui dont la carotte rouge clignotait dans mon rêve. Plus trace de la carotte, bien sûr. Il n'en restait qu'une tige de ferraille fichée au mur. Une gamine en maillot fluo et aux palmes clignotantes jouait à s'enrouler comme une anguille autour de cette tige rouillée. Elle risque de s'égratigner, me dis-je. Il faudrait entourer ces restes métalliques de polystyrène ou d'une quelconque mousse synthétique qui résiste au temps et à l'eau. Sinon blessure, et procès en perspective. Vincent va devoir défendre la gamine ou la boîte de tourisme responsable du site. Polystyrène, bon Dieu ! D'ailleurs, le paratonnerre de l'église aussi est dangereux. Un jeune tatoué risque de s'y embrocher. Ça va arriver. Inévitablement. Pure affaire de probabilité, dirait Christofo. Miracle que ça n'ait pas déjà eu lieu. Un de ces quatre matins un gosse va plonger un peu trop profondément et couic. (Tiens, notre langue manque d'onomatopée pour l'empalement.)

C'est en faisant ces réflexions que j'ai aperçu, de l'autre côté de la rue, la fenêtre ouverte par laquelle j'avais, dans mon rêve d'enfant, quitté notre maison. (Laquelle, on le sait, n'était pas notre maison, pas plus que cette rue n'avait été notre rue, ni ce village notre village.) Je reconnais ce décor englouti sans l'avoir jamais vu, me dis-je, telle est la situation. Et ladite situation – cette fenêtre ouverte sur le trottoir d'en face, au rez-de-chaussée d'une maison bien réelle – me flanque dans un état de curiosité inimaginable. Jamais éprouvé un tel désir de savoir. Un tel besoin de vérifier. Une inégalable exigence de vérité. Pénétrer *pour de bon* dans la maison de mon rêve ! Par la fenêtre d'où j'en suis sorti il y a plus de cinquante ans ! Qui a jamais éprouvé une pareille tentation ? Qui y résisterait ? C'est la curiosité de l'enfant sur le point de naître ! C'est le brusque soulagement du mourant dont la porte s'ouvre soudain sur la lumière ! Tel était mon état d'esprit devant cette fenêtre béante. Fugitivement, je me suis demandé quelle musique Alice composerait si, dans un film, elle avait à illustrer un moment pareil. Puis, j'ai foncé vers la fenêtre de mes parents, aspiré par la curiosité.

26

Je ne m'attendais pas à trouver leur lit fait, les rideaux flottant dans l'air nocturne ou leurs robes de chambre accrochées à leurs patères. La pièce était vide bien sûr. Le vide saturé des pièces englouties. Pourtant *j'y étais*. C'était bien la chambre de mes parents. Je ne pouvais en douter. Je demeurai là, en suspension entre ces quatre murs, immobile comme un souvenir, le cœur saisi par une atroce douleur d'absence. Un sanglot m'échappa, bulle de chagrin dont l'explosion, un instant, troubla les lignes. Puis je fis l'effort de passer dans la pièce voisine. C'était bien le salon. Vide lui aussi. Si on exceptait une carcasse de téléviseur mangée d'algues ondoyantes. Mais le souvenir frappant était ailleurs. Au fond du salon se dressait l'escalier où j'avais vu la cascade de miel et d'or charrier mon matériel de randonnée. Et, au sommet de l'escalier, le palier donnant sur la porte de notre chambre. Fermée. M'invitant à l'ouvrir. Comme dans un film d'épouvante. (On pourrait faire une thèse, là-dessus : les escaliers inquiétants des films d'épouvante… Inviter le spectateur à monter l'escalier et à ouvrir, le cœur battant, la porte de son enfance.) Je n'ai pas monté l'escalier, j'ai rempli mes poumons pour m'élever, sans un geste, au niveau du palier. Je nage dans le décor de mon rêve, me disais-je en approchant de la porte. Je *touche* mon rêve, me dis-je en saisissant sa poignée.

Que je tournai.

C'est ce geste qui mit brutalement fin à notre randonnée subaquatique.

27

Parce que, dans la chambre, j'ai trouvé Louis. Mais un Louis de onze ans. Il me montrait une pièce de un franc.

J'ai crié :

— Ne fais pas ça !

Trop tard. Il venait d'introduire la pièce dans un distributeur de lumière. L'auréole du saint Sébastien posé sur la cheminée de marbre s'illumina, comme se déploie la queue d'un paon, et toute la chambre en fut éclairée.

Là, j'ai hurlé :

— Que tu es con, putain ! Ma grand-mère n'a pas de cheminée ! Et pas de saint Sébastien ! Tu es chiant, merde ! Tu as tout foutu en l'air !

Cela hurlé en sanglotant comme un perdu.

IV

FEDERICO FELLINI
LE LIVRE DE MES RÊVES

Si tu regardes bien ces pages, tu y trouveras tout mon art tout mon cinéma.

FEDERICO FELLINI à Vincenzo Mollica
Le livre de mes rêves

28

Si un de mes anciens élèves tombe sur ces pages, il sera légitimement en droit de m'engueuler.

— Comment, monsieur, le coup du rêve ! Deux fois dans le même livre ! Vous qui nous interdisiez ce genre d'échappatoire quand vous nous dictiez nos sujets de rédaction : « Et ne me faites pas le coup du rêve, hein ! N'essayez pas de vous enfuir par cette porte-là ; je suis derrière, avec un gros bâton ! »

C'est vrai, c'est vrai, vous avez raison, je vous ai mené cette guerre, oui. Combien de fois vous ai-je répété :

— Ce n'est pas un rêve, ce ne sont pas les Martiens, ce n'est ni une hallucination ni un tour de magie, vous n'êtes pas sous hypnose non plus, ni saouls comme des cochons, je veux lire des devoirs imaginatifs et lucides, c'est compris ? Coltinez-vous le réel ! Il y a de quoi faire avec le réel !

Mais que voulez-vous ? Ces deux rêves ont bel et bien eu lieu. Je les ai faits l'un et l'autre. Avec les mêmes protagonistes. À des décennies de distance, le second se présentant comme une analyse du premier. Comment ne pas *croire* un rêve analytique ? Comment soupçonner une seconde qu'on est une nouvelle fois en train de rêver ?

D'où le hurlement de fureur que, d'après Louis, j'ai poussé en me réveillant.

Il s'était recroquevillé au bout de son lit.

— Putain, j'ai cru que tu allais me sauter dessus !

Rien n'avait eu lieu de cette balade sous-marine. Pas même sa proposition. Nous étions deux vieux cons, réveillés dans nos lits jumeaux. Nos pyjamas étaient assez laids. J'ai ouvert la fenêtre pour faire respirer la chambre.

— Quant au barrage, me dit Louis, j'y suis passé l'année dernière, il n'a pas du tout changé. C'est la même saloperie de béton dont la masse grisâtre écrase un paysage aux berges vaseuses. C'est absolument sinistre. Il faudrait que je t'en veuille à mort pour te plonger là-dedans. Les poissons flottent, sur ce lac.

La maison se réveilla pendant que je me calmais. Parfum de café et de pain grillé. Tintements de bols et d'assiettes.

De plus, on grattait à notre porte. C'étaient les jumelles.

— Debout les vieux, c'est l'heure.

Et de dévaler l'escalier en pouffant.

29

— Tu as écrit un Kamo, Papipo ?

Mila et Nora me posèrent la question dès que je fus assis derrière mon bol. Une question syndicale. Elles se sentaient mandatées par les autres enfants.

— On n'écrit pas un livre en une nuit, répondis-je.

— Ouh là, de mauvais poil, Pépère, constata Vincent.

— Il a rêvé, dit Louis.

— Longtemps que ça ne t'était pas arrivé, observa Minne.

— À la fin de sa vie, Fellini ne pouvait plus tourner et se plaignait de ne plus rêver, dis-je.

Cette affirmation abrupte me permit de boire ma première gorgée de café.

Alice demanda :

— Et qu'est-ce qu'il racontait, ce rêve réjouissant ?

J'en fis un bref résumé.

— C'est tout ? demanda Fanchon.

— J'ai tout foutu en l'air en allumant l'auréole de saint Sébastien, dit Louis.

— Tu n'en feras jamais d'autres, conclut Christofo.

30

Fichus rêves… Si seulement nous étions maîtres des impressions qu'ils nous laissent. J'aurais pu, ce matin-là, entraîner joyeusement tout le monde dans le récit de mon tourisme subaquatique, enjoliver les choses, ce que je fais généralement quand je raconte mes rêves, en y distribuant par exemple un rôle à chacun : Je t'ai vu, Lulle, sur la plage du barrage ! Tu faisais le mariolle en haut d'un plongeoir, les filles tombaient comme des mouches. Il faut dire que tu en jetais un max avec tes tatouages de rugbyman maori. Mila et Nora aussi je vous ai vues, toutes les deux, avec vos petites palmes et vos grosses bouteilles. Vous preniez des photos dans l'église engloutie. Anna, c'était toi, autour de l'enseigne du tabac, hein ? Tu es pénible, tu sais. Combien de fois faudra-t-il te dire de faire gaffe avec la ferraille rouillée quand tu plonges ?

Mais ce matin-là, je n'étais pas d'humeur. De toute cette épopée onirique – l'inondation de lumière, l'exploration du village englouti, le retour à la maison par la fenêtre de mon enfance –, ne me restait qu'une profonde et silencieuse tristesse, sensation parfaitement déroutante et très difficile à identifier. Quand ce fut fait, j'en restai muet de chagrin : *Fellini ne pouvait plus rêver.* Tel était le résidu de mon rêve. L'impression dominante. Federico Fellini était mort de ne plus pouvoir rêver. Voilà ce qui stagnait entre mes eaux et dont je ne pouvais émerger. Impossible de remonter à la surface sous le poids d'une pareille douleur. Cet homme pour qui le rêve avait été la vie même était mort de ne plus pouvoir rêver.

31

Plus tard dans la journée (nous tirions tous les deux à l'arc dans la grange), Lulle me demanda :

— Qui c'était, ce Fellini ?

— Mon cinéaste préféré.

— Oui, mais c'était qui ?

32

— Federico Fellini était un cinéaste italien mondialement connu, pour lequel votre arrière-grand-mère a un peu travaillé dans les années 1960. Quand j'étais petit, je dormais sous un de ses rêves qu'elle avait accroché au-dessus de mon lit. Pendant trente ans Fellini a dessiné et peint tous ses rêves. Puis il les a rassemblés dans un grand livre : *Il libro dei sogni* (qu'on a traduit en français *Le livre de mes rêves*). Il est là, dans la bibliothèque. Lulle, apporte-le-nous, s'il te plaît. Fais attention, c'est lourd. Merci. Regardez, Fellini dessinait ses rêves dès qu'il se réveillait. Il les coloriait avec tout ce qui lui tombait sous la main : des crayons de couleur, de la gouache, de l'aquarelle, des stylos bille, des feutres, de l'encre qu'il appliquait directement avec ses doigts, tout lui était bon. Après les avoir coloriés, il les racontait par écrit dans les espaces que le dessin laissait libres. Ce qui fait que toutes les pages sont saturées d'images et de lignes qui s'interpénètrent, vous voyez ? Sa petite écriture, droite, rapide, comble tous les vides, comme font nos sensations autour des images que produisent nos rêves. (Nos rêves sont pleins comme des œufs, vous l'avez remarqué ? Images et sensations remplissent tout. Pas de place pour le vide. Dans un rêve on ne rêvasse pas.) Regardez, ici son écriture est penchée, c'est qu'il écrit plus vite. Il est pressé. Il doit avoir quelque chose d'urgent à faire.

— Monsieur Fellini, puis-je vous parler ?

— Federico, on a besoin de toi !

— *Maestro*, venez voir !

— Federico, on prend combien de figurants pour la séquence du canot, finalement ? Tu as changé d'avis hier !

— Monsieur Fellini, les costumes sont arrivés, vous voulez y jeter un coup d'œil ?

— *Maestro*, vous avez les Français au téléphone, qu'est-ce que je leur dis ?

— Federico, sérieusement, les figurants sont là, qu'est-ce qu'on en fait ?

Tout le monde l'appelle, le temps presse, son stylo court. Regardez, la vitesse couche de plus en plus son écriture sur le papier. C'est le petit matin, nous sommes à Rome, via Tuscolana. Le studio 5 de Cinecittà bourdonne déjà comme une ruche…

— Où est Federico ?

— Là-bas, assis au pied de la grue, il note son dernier rêve. Il a demandé le carnet de la production pour le dessiner.

33

Le studio 5 de Cinecittà était la vraie maison de Fellini. C'était son crâne. C'était le volume où s'épanouissaient en films les images de ses rêves. C'est là qu'il a tourné mes films préférés : *La dolce vita*, *8 ½*, *Fellini Roma*, *Intervista*, *La nave va*. *Amarcord* surtout, qui, en dialecte romagnol signifie « Je me souviens » : *A m'arcord, io mi ricordo, je me souviens*. Je l'ai vu si souvent, ce film, qu'en effet je me souviens de chaque plan. J'en ai même rêvé !

Le plateau sur lequel Fellini tournait ressemblait aux pages sur lesquelles il dessinait ; tout pouvait y arriver. Il y faisait pleuvoir l'eau des orages, rouler les vagues des océans, barrir des troupeaux d'éléphants. On y voyait naviguer des transatlantiques, couler des cuirassés, se coucher des soleils, se lever des lunes. Il y creusait les canaux de Venise, il y faisait éclater des feux d'artifice. Des tablées de Romains braillards y mangeaient la pasta dehors, sous des balcons qui n'étaient jamais vides. C'était ça, le studio 5. Il y avait reconstruit la ville de son enfance, Rimini, pour tourner *Amarcord*. Le studio 5 s'était alors peuplé de tous les visages de sa première mémoire.

Fellini était un homme peuplé.

La plupart de ses personnages l'habitaient avant qu'il ne tourne ses films. Il en rêvait et les dessinait dans le *Libro dei sogni*, ou il les imaginait et les croquait sur le coin d'une nappe : trois coups de crayon et voilà quelqu'un. Ce quelqu'un, cette figure de sa tête, il le cherchait ensuite dans la vraie vie pour en faire un personnage.

Du coup, avant chaque tournage, il passait une annonce dans les journaux : *Federico Fellini est prêt à recevoir tous ceux qui veulent le voir.* Alors débarquait au studio 5 de Cinecittà la foule de ceux qui, de leur côté, rêvaient de devenir une image fellinienne et qui, pour la plupart, lui avaient déjà envoyé des lettres pleines d'espoir et de photos : les femmes aux vastes formes, les jeunes gens à la nonchalance ostensible, les paparazzi virevoltants, les clowns musicaux, les mammas gnocchi, les enfants chahuteurs et les papas mangeurs de chapeaux, les snobs gominés, les clochards glapissants, les femmes fatales et les idiots de village, les figures de producteurs inquiets, de pédagogues ridicules, d'ecclésiastiques ralentis... Tous se pressaient aux portes du studio 5 où ils savaient que Federico Fellini cherchait le miracle de l'incarnation.

Quelquefois le miracle avait lieu. Fellini avait imaginé un personnage et voilà que la personne était là ! Devant lui ! Incarnation. Alléluia ! Au besoin, il ajoutait une verrue à un front, posait un furoncle sur un nez : Bienvenue à vous, ô citoyens de mes films ! Bienvenue dans *La strada*, dans les *Vitelloni*, dans *Roma*, dans *Amarcord*, dans *8 ½*, dans *Intervista* ! Bienvenue ! Bienvenue !

Si les citoyens ne savaient pas parler ou s'ils n'étaient pas fichus de retenir leur texte, aucune importance :

— Gigi, tu n'as qu'à compter ! Va, Gigi, compte tant que ça tourne. Compte comme si tu parlais, sur le ton de la colère, par exemple : dix, onze, douze, avec colère, voilà, c'est très bien... Treize ! Quatorze ! Et maintenant sur le ton de l'admiration : trois cent dix-huit mille deux cent cinquante-trois... admiratif, voilà, 318 253 ! C'est bien, Gigi, tu es parfait. Oublie le texte, oublie, ne t'inquiète pas, compte. La vraie parole viendra plus tard. La parole c'est autre chose. La parole, le sens, la complexité, ce sont des détails, ça s'enregistre après, ailleurs, avec une autre voix que la tienne s'il le faut.

34

Bref, le professeur en moi avait repris le dessus ; ces vacances-là ne furent qu'un long cours sur Federico Fellini.

35

— Mais ton rêve à toi, me demanda Lulle, celui que ta mère avait accroché au-dessus de ton lit, qu'est-ce qu'il racontait ?

— C'était une sorte de rêve platonicien. Fellini y rêvait d'un film qui représentait exactement ce qui se passait à l'extérieur du cinéma au moment où on l'y projetait : éclipse de soleil, éclairs aveuglants, orage, trombes d'eau, rues torrentielles, submersion complète de la ville, puis le long silence du soir sur les maisons détruites une fois les eaux retirées. Federico et sa femme, Giulietta, erraient dans les ruines. Un chien vagabondait. Un de ces chiens qui, dans *Amarcord*, filent la queue entre les jambes quand les enfants font éclater des pétards. Le chien se déclarait pourtant très honoré de tourner à nouveau avec le *maestro*.

36

Oui, *Il libro dei sogni* nous fut d'une grande utilité cet été-là. Quand je dis nous, je parle des adultes. Un été paisible, que les enfants passèrent à dessiner du rêve. Ceux qui savaient écrire faisaient serpenter leurs phrases autour de leurs dessins.

— Comme Fellini !

Ils nous lisaient le résultat avant d'aller se coucher, dans l'espoir que le sommeil offrirait une suite à leurs rêves de la veille.

— Ça marche peut-être comme les séries ?

37

L'exaltation aidant, c'est ce même été que j'ai décidé de rendre hommage à Federico Fellini. J'avais passé mon enfance sous un de ses rêves, j'avais passé ma jeunesse à attendre la sortie de ses films, j'avais passé le reste de ma vie à les revoir sans jamais m'en lasser. Cet homme m'avait été plus précieux qu'une famille, il fallait que je le remercie avant de casser ma propre pipe.

— Tu vas écrire un livre sur lui ?

— Non, il y en a déjà beaucoup.

— Tu vas faire un film ?

— Certainement pas, je n'ai jamais tenu une caméra de ma vie. Je ne suis pas Fellini, justement. Colle-moi derrière l'objectif d'une caméra, je ne verrai rien de particulier. Et puis, cinéaste c'est un métier complexe, il faut être à la fois rêveur, artiste, financier, publicitaire, industriel, général... Il faut engager le meilleur chef opérateur, recruter une armée d'acteurs, d'assistants, de machinistes, d'éclairagistes, de charpentiers, de soudeurs, de décorateurs, d'habilleurs, de maquilleurs, de coiffeurs. Il faut commander à tout ce monde. Et surtout, il faut trouver un financement, convaincre les producteurs, se plier aux exigences des chaînes de télévision, draguer les décideurs, des gens de votre génération, aujourd'hui, les décideurs, mais pas plus tendres que les vieux schnocks d'hier, et qui n'ont jamais vu un film de Fellini, j'en mettrais ma main à couper. Ils me diront : pourquoi Fellini ? Qui le connaît Fellini de nos jours ? On s'en fout de votre Fellini ! D'ailleurs, pourquoi pensez-vous qu'il ait cessé de tourner dans les années 1990, Fellini ? Ou l'autre là, comment s'appelait-il, déjà, cet emmerdeur, ah ! oui, Orson Welles ! D'après vous, pourquoi ont-ils cessé de tourner, Orson Welles et Federico Fellini ? Parce qu'ils ne trouvaient pas de producteurs ? Admettons. Mais pourquoi ne trouvaient-ils plus de producteurs ? Parce que leurs films coûtaient trop cher ? Pas du tout ! Parce que leurs films ne rapportaient plus un rond ! Nuance. Atterrissez, grand-père, redescendez parmi nous, Fellini a cessé de tourner parce que les spectateurs n'allaient plus voir ses films, point final. Depuis les années 1990, plus personne n'en a rien à battre de votre Fellini. Vous pouvez partir tranquille. Voilà ce que me diraient les décideurs d'aujourd'hui. Inutile de leur objecter que Fellini, en son temps, avait frappé à la porte d'une douzaine de producteurs pour pouvoir tourner *La dolce vita*, qu'aucun d'eux n'en avait voulu, de sa *dolce vita*, mais qu'après le succès mondial de *La dolce vita* les producteurs ne voulaient plus tourner que de la *dolce vita*, des kilomètres de *dolce vita*, des voies Apienne de *vie douce*, tous les producteurs, ad vitam aeternam.

Non, je ne pourrais pas faire un film sur Federico Fellini.

V

FEDERICO RESSUSCITÉ

J'ai l'impression de n'avoir pas beaucoup changé depuis mes dix-sept ans.

FEDERICO FELLINI à Giovanni Grazzini
Fellini par Fellini

38

C'est au théâtre finalement que nous l'avons ressuscité. Dans le rectangle de lumière. Je dis nous car pour monter ce spectacle j'ai ameuté tous les théâtreux de ma connaissance. J'ai rassemblé les comédiens parisiens de notre troupe, nous sommes descendus en Italie, à Pistoia, près de Florence, pour préparer le spectacle au Funaro d'Antonella Carrara qui est, par excellence, le laboratoire du Théâtre. Nous y avons retrouvé Antonella, Lisa, Massi, Francesca et les Napolitains de la Casa, Ludo, Roberto, Pako, Demi, avec qui nous avions déjà écumé les scènes italiennes et françaises. Mobilisation planétaire : Clara, notre metteuse en scène, nous a rejoints d'Argentine, Vinoth de Chennai, Bibi de Bamako, Ximo de Catalogne, Babette de Bruxelles, Fanchon de Marseille, les autres de Montreuil et de Paris. Tout a commencé par l'habituel festin de bienvenue, Lia et Paolo aux fourneaux, Alice et Laurent au piano et tout le monde à la voix, jusqu'à la nuit bien avancée.

Sur quoi, je leur ai annoncé que nous allions faire un spectacle sur Federico Fellini. Titre : *Federico Fellini est prêt à recevoir tous ceux qui veulent le voir.* Deux injonctions préalables seront faites aux spectateurs : apportez un instrument de musique, quel qu'il soit, même une poêle à frire, et venez avec vos téléphones portables. Obligatoire, les portables ! Surtout n'oubliez pas vos portables chez vous !

39

La première chose que vit le public du Piccolo Teatro de Milan, ce 20 janvier au soir, centième anniversaire de la naissance de Federico Fellini, ce fut un cœur noir flottant sur un rectangle blanc. Les spectateurs ne surent pas d'abord ce qu'étaient ce cœur et ce rectangle qui semblaient en suspension au-dessus de la scène puis, leurs yeux s'accoutumant à l'obscurité, ils virent que le cœur était la chevelure considérable d'un jeune homme qui leur tournait le dos, et le rectangle blanc un grand cahier ouvert à même la scène. Penché sur le cahier, le jeune homme dessinait avec une hâte inspirée. Sa somptueuse chevelure cachant aux spectateurs les débuts de son dessin, ce fut le crissement des feutres sur le papier qui leur rappela l'âge où eux-mêmes dessinaient avec ferveur. Puis le dessin du jeune homme leur apparut, projeté sur un écran. Le jeune homme dessinait une foule bariolée, hurlante et galopante, qu'accompagnait maintenant la sarabande d'une flûte et d'un hautbois. La flûte disait que la foule était joyeuse, mais le hautbois laissait planer un doute. La foule poursuivait un couple qui courait, main dans la main, s'enfonçant dans une perspective bleu nuit striée d'or, comme si ces amoureux cavalaient sous une pluie d'étoiles filantes.

Une fois son œuvre achevée, le jeune homme se mit à écrire son rêve dans les espaces laissés libres par le dessin. Tout en l'écrivant il le racontait à haute voix. Il avait une voix nasale et flûtée :

— Giulietta et moi courons devant une foule dont je ne saurais dire si elle est hostile ou amicale, ni si elle nous poursuit ou si c'est nous qui l'entraînons... Giulietta me rassure : « La suite nous le dira, Federico ! »

40

Nous autres, les artisans de ce chef-d'œuvre, guettions les moindres réactions du public dans la cabine de projection. La sueur et le trac nous soudaient.

De temps à autre, Clara craquait :

— Vous entendez, mes chéris ? Vous entendez ce silence ?

— On aimerait bien, soufflait Ximo en lui faisant signe de se taire.

— Je partage mon enthousiasme, protestait notre metteuse en scène.

— Retiens-toi, Clarita, on n'est pas au foot, ce n'est pas Argentine-Italie !

— Chut, soufflait Alice en envoyant la musique.

41

Le spectacle se déroulait en quatre parties.

D'abord, on voyait Federico Fellini jeune homme dessiner un rêve en le racontant. Le rêve était projeté sur un grand écran dressé en fond de scène. Vingt bonnes minutes de beauté hypnotique.

Puis Fellini recrutait parmi le public les spectateurs qui ressemblaient aux figures de son rêve. Il leur faisait passer des bouts d'essai. Parmi les nombreux volontaires qui le rejoignaient sur la scène, se trouvaient bien sûr nos propres comédiens. Leurs bouts d'essai étaient autant de petits « clous du spectacle » que nous avions soigneusement préparés.

Dans la troisième partie, la scène devenait le studio 5 de Cinecittà : projecteurs, caméras, grue, rails de travelling, panneaux de décor, brouhaha... Puis mégaphone, silence, clap : le public assistait alors au tournage d'une séquence hautement fellinienne où jouaient les spectateurs recrutés par le *maestro*.

Quatrième et dernier acte : le moment sacré de la projection. À la surprise générale, personne ne reconnaissait la séquence qui venait d'être tournée. Les angles, les gros plans, les éclairages, le choix des prises, le rythme du montage, le son surtout, le son et la musique, bref le *style* de l'auteur donnait à voir tout autre chose que ce qu'on croyait avoir vu. Les comédiens eux-mêmes, qui pendant le tournage n'avaient prononcé que des séries de chiffres, découvraient ce qu'ils disaient vraiment et les voix qu'on leur avait attribuées pour le dire.

Le *maestro* désirait-il vraiment ressusciter ? C'était le thème de la séquence. Federico Fellini était-il certain de vouloir ressusciter ? Supporterait-il cette épreuve ? Ce n'était pas de la tarte, une résurrection ! Le retour à la lumière du jour, oui, aux parfums de la vie, soit, aux artichauts à la romaine et aux *polpette di bollito* évidemment (d'ailleurs Dal Toscano, sa cantine habituelle, lui avait gardé sa table), tout cela était très tentant, retrouver la faculté de rêver et les palpitations de la création, certes, mais le confort moelleux de l'éternité tout de même, l'exquise sensation de planer main dans la main avec Giulietta dans l'espace et le temps, la si reposante absence de suspens… Quel dilemme ! Ressuscitera ? Ressuscitera pas ? Le public retenait son souffle.

Il va de soi que tout cela était infiniment plus subtil et profond, plus confus et mystérieux, plus fellinien en somme que je ne le laisse entendre ici. Mais pourquoi dévoilerais-je tous les secrets d'un spectacle que vous n'avez pas encore vu ?

42

— Ils sont pris, ils sont pris, ne cessait de répéter Clara dans la cabine surchauffée où nous perdions nos eaux : cinq éponges étranglées par l'émotion.

— Merde, le projecteur roulant a déconné pendant le tournage, râlait Ximo. Regardez, la lumière tremblote côté jardin.

— Ta montée du hautbois est bouleversante, soufflai-je à Alice.

— Taisez-vous, j'envoie le générique de fin, annonça Matthias.

43

Lequel générique réservait une dernière surprise aux spectateurs dont les applaudissements explosaient. Ils y voyaient défiler leurs propres noms ! Qu'ils eussent ou non joué dans le film, ils se trouvaient là, nommés sur l'écran, à la place que l'alphabet leur avait assignée pour la vie.

— Mais c'est moi ! s'écria quelqu'un.

Ceux qui commençaient à se lever se rassirent.

— Paola, regarde, c'est toi, dit quelqu'un d'autre.

Les applaudissements redoublèrent.

— J'y suis aussi !

Chacun partait à la recherche de lui-même, et tous se découvraient, acteurs de leurs propres vies, présents à leur présence, car c'étaient bien eux, oui, ils étaient bien là, sur l'écran !

— J'y suis ! J'y suis !

— Regarde, tante Adalberta, tu y es aussi !

Le générique se déroulait au son de la tarentelle qu'Alice avait composée pour accompagner le dessin du début. C'était un petit air allègre et sautillant qui donna à tout le monde envie de gigoter. Alors Massi, notre Massi (Massimiliano Barbini, de Pistoia), dressa sa haute taille au milieu du public ; il jaillit avec son trombone et reprit le thème de la tarentelle en descendant majestueusement vers la scène. Babette et Paolo lui emboîtèrent le pas, la première au violon, le second à la guitare. Comme nous l'avions espéré, les spectateurs qui avaient apporté un instrument – ils étaient nombreux – les suivirent comme un seul homme. Pako, Ludo, Lisa, Demi et Fanchon, maquillés en clowns felliniens, entraînèrent les autres dans leur tourbillon, y compris les plus timides, et tout le monde se retrouva sur la scène en une immense farandole, comme à la fin de *8 ½*.

44

Tout le public jaillit du théâtre par l'entrée des artistes. Derrière le trombone de Massimiliano Barbini résonnaient pêle-mêle les trompettes, les accordéons, les harmonicas, les cymbales, les tambours, les flûtes, les violons, les clarinettes, les guimbardes, les casseroles, l'effarante quincaillerie musicale des spectateurs. Les Milanais du Piccolo donnaient l'aubade aux Milanais de Milan, ils jouaient pour les riverains qui riaient, pour les riverains qui gueulaient, pour ceux qui se claquemuraient, pour ceux qui regardaient du haut de leur balcon :

— Mais qu'est-ce qui se passe ? Qu'est-ce que c'est que ce bordel ?

— Il paraît que Fellini est ressuscité !

— Tu déconnes ?

— Pas du tout, vous n'entendez pas la musique ? On fête la résurrection de Fellini !

— Sans blague ? Celle de Giulietta aussi alors ?

— Et celle de Nino Rota, écoute !

Et les riverains de la rue San Tomaso de descendre dans cette nuit du 20 janvier, rejoints par les habitants du corso Garibaldi et de la rue Strehler, on tourna sur la gauche, ceux de la rue Visconti vinrent grossir le fleuve, augmenté bientôt par les musiciens de la via Legnano, jusqu'à ce que Milan ne soit plus que musique. Une musique d'autant plus éclatante que trois jours d'un vent tranchant avaient rendu aux rues leur sonorité de cristal.

Finalement, une foule immense envahit le parc Sempione, car le bruit s'était répandu, via les portables des spectateurs et les réseaux sociaux, que Federico Fellini avait décidé de ressusciter en cette nuit du 20 janvier, sur la scène du Piccolo Teatro, et qu'il invitait tout le monde à fêter l'événement au Sempione avec Giulietta et Nino.

— Au Sempione ? Le parc du Castello Sforzesco ? Mais il est fermé à cette heure-là le Sempione, non ?

— Réfléchis un peu, Fabio, un gars qui a les moyens de ressusciter quand il en a envie a le bras assez long pour faire ouvrir le Sempione à la population milanaise, non ?

— Si... Si, bien sûr, oui.

Cette nuit-là donc, convié par les spectateurs du Piccolo Teatro, tout Milan convergea vers le Sempione où s'allumèrent par dizaines des braseros on ne peut plus felliniens, comme si Milan était devenu un faubourg de Rome. Police bien sûr, éteignez-moi ça tout de suite c'est rigoureusement interdit, mais trop de monde déjà, on dansait autour des flammes, on jouait, on chantait... Bref, on festoya jusqu'à pas d'heure, *carabinieri* compris.

Jusqu'à quelle heure au fait ? Je ne sais pas, je n'y étais

pas. C'est Ludovica et Roberto qui m'ont raconté la chose. Ils rigolaient :

— Tous ces musiciens convergeant vers le Sempione, on aurait dit un rassemblement d'oiseaux milanais pressés de migrer vers le sud. Une fois n'est pas coutume.

45

Si nous n'étions pas de la fête, nous autres, c'est que Clara nous avait retenus au Piccolo, Alice, Pako, Ximo, Matthias et moi, pour nous distribuer ses notes. Tous les six seuls dans le théâtre, vidé soudain comme par une tornade. Tous les six étourdis par le brusque silence. Et tous les six tombant dans les bras les uns des autres.

Maintenant, les notes.

Ne jamais quitter le théâtre tant que les notes ne sont pas communiquées, telle est la devise de notre metteuse en scène. Repérer ce qui cloche pendant la représentation, en faire part illico à l'équipe, qu'on soit propre dès le soir pour la représentation du lendemain…

— Matthias, au tout début, quand Fellini dessine son rêve sur le grand cahier, il faut qu'on voie mieux sa chevelure. C'est la première image du spectacle. Rien que ce cœur noir sur le blanc du cahier. Jeune homme, Fellini était si fier de sa tignasse ! Rappelle-toi, dans les premières années du *Libro dei sogni*, il ne se dessinait que de dos. Ce cœur doit frapper les spectateurs : le cœur noir, le cahier blanc, le temps d'une vision ! Et hop ! La projection du rêve sur le grand écran.

— Combien de secondes, finalement, sur le cœur ?

— Six ou sept. Essayons sept.

— Sept secondes, d'accord.

— Alice, n'envoie pas la musique trop tôt. Laisse vivre le dessin. Que le public entende bien le crissement des feutres sur le papier, que ça leur rappelle les dessins de leur enfance, et ensuite seulement la musique. Et tu la baisses dès que Fellini se met à parler. La voix doit prendre très naturellement le relais des instruments, il faut que le passage de la musique à la voix soit plus…

— Organique.

— C'est ça. De la musique qui devient parole.

— C'est noté.

— Pako, on doit encore agrandir l'écran. Je sais que c'est compliqué à cause des projecteurs mais Ximo va trouver une solution.

— Ça va, c'est faisable, j'ai gardé un peu de marge. Je vais baisser le 53 et détourner le 57. Seulement, ça réduira la profondeur de scène.

— De combien ?

— Quarante centimètres à peu près.

46

Une fois Clara et les autres partis à la fiesta du parc Sempione (allez-y on vous rejoindra), je suis resté seul avec Ximo pour l'aider à régler les projecteurs.

— Tant que nous y sommes, me dit-il, il faut vérifier le projo qui s'est mis à faseyer pendant la scène du tournage. Tu pourrais y jeter un œil ? La gélatine s'est peut-être décollée. Il doit y avoir un courant d'air en coulisse qui fait battre la feuille. Ça provoque un léger tremblotement.

— Où est-il ? demandai-je en montant sur la scène.

— À jardin, derrière, entre les rideaux. C'est un des projecteurs roulants de Fellini, tu sais.

Il s'agissait d'un de ces projecteurs mobiles avec lesquels Fellini poursuivait ses comédiens. De la lumière à hauteur d'homme, qu'il faisait tourner autour d'Anouk Aimée ou de Mastroianni sans jamais lâcher leur visage. Il comparait cet éclairage aux rayons X qui disent tout. Clara affirmait qu'il avait raison, qu'une lumière pareille vous « sortait le caractère de la figure ». Elle avait poussé le souci de l'exactitude historique jusqu'à dénicher un de ces projecteurs à roulettes. Celui de Fellini en personne, le pinceau du *maestro*, disait-elle. Une relique de Cinecittà.

— Tu y es ? me demanda Ximo, j'allume !

Et je vis, là-bas, au fond du corridor nocturne creusé par les rideaux de velours noir, s'allumer une sorte de soleil couchant que je reconnus aussitôt. Et qui me cloua sur place. C'était l'apparition d'une image si profondément enfouie en moi que j'en restai sidéré, comme par le surgissement d'un ami perdu depuis la nuit des temps mais que le temps n'aurait absolument pas changé.

La veilleuse de ma petite enfance !

La petite lampe que ma mère laissait allumée dans le couloir luisait ici, dans la nuit de ce théâtre.

Mon hibou.

La même auréole rousse autour du même foyer lumineux…

Une si vieille image.

Et pourtant si présente.

Le présent du passé.

Ici.

Et le même défi :

— Regarde-moi, regarde-moi, si tu l'oses !

À croire que ma vie n'avait pas bougé d'une seconde.

Bouffée de pur bonheur, bien sûr.

Puis retour à la réalité du moment. Ximo avait raison, on percevait un léger tremblement dans les rayons de ce vieux soleil. D'autant plus net qu'en m'approchant du projecteur j'entendais un grésillement…

Que soulignait une odeur de câble brûlé.

Je m'approchai davantage.

— Ce n'est pas la gélatine, dis-je à Ximo, elle est bien collée, c'est…

Mais le projecteur explosa avant la fin de ma phrase et ce fut comme si j'étais avalé par le soleil.

VI

PLUS OU MOINS 10%

Quand il a entendu ce rêve, Bernhardt m'a dit : « Monsieur Fellini, voulons-nous travailler sérieusement ? »

FEDERICO FELLINI
Le livre de mes rêves

47

Les yeux encore fermés, j'entendais Minne expliquer au téléphone (à qui ? sa mère ? Alice ? Isabelle ? Vincent ? Anita ? Christofo ?) ce qui m'était arrivé. Je n'étais pas à Milan mais à Paris, je n'étais pas au Piccolo Teatro mais dans une chambre d'hôpital, à côté de chez moi. Je n'y avais pas été expédié par l'explosion d'un projecteur de théâtre mais par notre appareil de projection dont l'ampoule avait grillé pendant que nous regardions *Amarcord* du fond de notre lit. L'accident s'était produit la veille, dimanche 20 janvier, anniversaire de la naissance de Fellini, c'était vrai, mais en l'occurrence un pur hasard.

Minne savait à peine ce qui s'était passé. Au départ, une de mes « crises de jeunesse », disait-elle au téléphone – Tu le connais, une de ses impulsions physiques, pareille à celles qu'il décrit dans *Journal d'un corps.*

L'ampoule de notre appareil de projection avait rendu l'âme en plein Fellini.

Pof !

— Ah ! Non ! Merde !

Au lieu d'éteindre l'appareil et d'aller chercher un escabeau, j'avais jailli de notre lit, flanqué une chaise sur une table et j'étais monté à l'assaut du projecteur en fulminant, résolu à changer l'ampoule carbonisée sans attendre que le bazar eût refroidi. Ce qui s'était passé en altitude, Minne ne pouvait le dire exactement ; elle avait entendu une explosion sourde, de celles qui vous éteignent une maison. Sur quoi je m'étais cassé la gueule avec mon échafaudage, dans un grand fracas mais sans un cri, et je ne m'étais pas relevé. Coma. Ma femme m'avait cru électrocuté, mort sur le tapis de la chambre, au pied du lit conjugal. Terreur, SAMU, hôpital. Elle y avait passé la nuit dans un fauteuil à me veiller et voilà.

— Non, il ne s'est pas réveillé, non. Ça fait douze heures... oui... non... Je ne sais pas... Je ne sais pas... Ils disent... Non, ils ne sont pas du tout rassurants, ils disent qu'ils ne peuvent rien me dire... On ne peut rien vous dire, madame, ni sur la durée de son coma ni sur la qualité de son réveil. Des séquelles ? Oui, c'est probable, mais là encore nous ne pouvons nous avancer ni sur leur nature ni sur leur gravité, il n'est plus tout jeune, n'est-ce pas, il peut... C'est une chance énorme déjà qu'il ne se soit rien cassé, il peut... Ils ne savent pas, quoi. Plus le coma dure plus c'est dangereux, c'est ce que j'ai cru comprendre. Fabrice m'a dit qu'il passerait en sortant de son hôpital à lui. Non... non, je le regarde, il dort... Ah ! non, attends ! Attends ! Attends ! Non, il se réveille ! Il se réveille ! Il ouvre les yeux ! Je te rappelle ! Je te rappelle !

48

La durée de mon coma était due à la pression de l'hématome cérébral sur le diencéphale, nous expliqua Fabrice, neurochirurgien de son état, et je devais la profusion des rêves à la pression de la même poche de sang sur les circuits limbiques, où notre mémoire stocke les souvenirs d'une vie.

— C'est comme ça, mon pote, conclut-il, tu es un organisme précis à production aléatoire. Un romancier, en somme.

De fait, une fois les questions médicales élucidées, mon premier désir fut d'exploiter la manne onirique qui s'était libérée pendant mon coma. Dès mon réveil l'envie me prit d'écrire un roman autobiographique, sur le mode *Portrait de l'artiste en rêveur*, quelque chose comme ça. Une sorte d'autofiction rêvée. Le projet me paraissait d'autant plus réalisable que mes rêves successifs, de l'inondation de lumière à l'explosion du projecteur, en passant par l'exploration du village englouti et l'été fellinien (je le compris en les confiant au dictaphone de mon portable), respectaient une progression chronologique

– enfance, adolescence, maturité, vieillesse – et manifestaient une certaine cohérence thématique. Fellini m'accompagnait tout au long de cette narration, comme une sorte de fil rouge, un cousinage auquel mon inconscient semblait beaucoup tenir.

49

Quand, une demi-heure après mon réveil, Alice entra dans ma chambre d'hôpital, je lui annonçai mon intention de faire un spectacle pour le centenaire de Fellini.

— Mais tu es vivant, mon p'tit papa ? Tu es certain que tu es vivant ?

Tout ce qu'il y avait de vivant et fort pressé de ressusciter Federico Fellini. Le spectacle était prêt dans ma tête, j'en avais rêvé, je l'avais construit. Ne manquaient que l'écriture, la mise en scène et la musique. Sur quoi travaillait-elle en ce moment ? Avait-elle le temps – l'envie – de se mettre à la composition musicale d'un truc pareil ?

— Fellini, ça te dit ? Pendant que je le ressuscite, toi tu ressusciterais Nino Rota, non ?

50

Il fut un temps où l'épreuve de français du baccalauréat proposait un exercice intéressant. Il s'agissait de résumer au quart de sa proportion (plus ou moins 10 %) un texte suffisamment chargé de sens pour justifier un traitement aussi barbare. Morceaux choisis de philosophie, d'anthropologie, d'économie, d'ethnologie, de psychologie ou de sociologie, chroniques de l'air du temps, articles polémiques et autres éditoriaux étaient ainsi proposés à la sagacité broyeuse du candidat. Aucun auteur n'y échappait : Paul Valéry et Roland Barthes eux-mêmes, si concis de réputation, étaient voués à l'essorage comme les autres. Nous aimions beaucoup cet exercice, mes élèves et moi. Toutes les semaines nous jouions ensemble au presse-citron lucide. La proportion de sens extraite de nos quatre-quarts se matérialisait en résumés très clairs et parfaitement calibrés : nous étions *intelligents.* Se posait alors la seule question vraiment intéressante : à quoi servaient les trois quarts du texte que nous avions fichus à la poubelle ? Réponse : à faire de ce texte un organisme vivant. À faire de cette écriture un style. À faire de cet auteur un individu singulier. Nous avions extrait le sens de la vie, ici gisait la vie du sens.

C'est à quoi je songeais dans mon lit d'hôpital en pensant à mes rêves : quelle était leur proportion de réalité ?

Alice était rentrée chez elle, rassurée sur la santé de son père et bourrée d'énergie musicale. Minne était repassée avec mon ordinateur portable et un petit dîner perso à damner les hôpitaux de Paris. L'une et l'autre habitaient tout près. Leur double protection faisait de moi un patient privilégié, choyé comme un externe dans un pensionnat.

L'hôpital dormait. Je venais d'écrire la structure de ce que vous venez de lire, et je calculais ma proportion de vérité, plus ou moins 10 %.

51

Pour commencer, ma mère ne connaissait pas Federico Fellini. Elle n'a donc jamais travaillé pour lui. Femme de militaire, elle était beaucoup trop occupée à déménager tous les deux ans pour pouvoir, même si elle en avait eu l'occasion, consacrer une minute à la garde-robe de Cinecittà. En fait de confection elle se bornait à tricoter les « chandails » de ses quatre garçons. Même sous les tropiques, elle pensait à l'hiver de ses fils. Je l'ai vue tricoter des pulls de grosse laine dans la fournaise de Djibouti pour ses aînés restés en France.

Je n'ai donc jamais dormi sous un rêve de Fellini que ma mère aurait accroché au-dessus de mon berceau. J'ai même longtemps ignoré que Fellini était le champion des rêveurs. *Il libro dei sogni* n'est sorti en France que récemment, aux Éditions Flammarion, sous le titre *Le livre de mes rêves*. Comme toujours quand un livre me plaît, j'ai contribué à son épuisement rapide en l'offrant autour de moi. Car il est vrai, en revanche, que j'ai toujours cassé les pieds de mes amis avec ma passion pour Federico Fellini.

52

De Fellini, ma mère connaissait les films que je l'emmenais voir à Nice dans ma jeunesse. Elle aimait beaucoup ces séances où l'invitait son dernier-né pendant ses vacances de jeune professeur. Des moments d'affection privilégiés qui finissaient souvent par un dîner dans un restaurant du bord de mer. Un soir, je l'ai même invitée au Negresco, pour voir. (Les premières folies de mes premiers salaires.) Avec moi, elle a vu *Les clowns*, *Amarcord*, *Fellini Roma*, *La nave va*, *Ginger et Fred* et *Intervista.* L'apparition du cuirassé dans *La nave va* l'avait laissée sans voix. Les *Vitelloni*, vu dans une cinémathèque, l'avait fait rire.

— Ils sont exactement comme ça, disait-elle avec bienveillance des quatre crétins, héros du film, sans qu'on sût si elle parlait des jeunes hommes en général ou du souvenir qu'elle gardait de ses propres garçons au même âge.

La réaction furibonde d'un certain public à la sortie de *8 ½* l'avait surprise.

— Les gens croient toujours qu'il y a quelque chose à comprendre, disait-elle. Ce Fellini est pourtant simple, il suffit de le suivre. Et puis, *8 ½*, c'est l'histoire d'un homme qui doute ; ça nous change.

Bien qu'on l'eût sortie de l'école à quatorze ans, ou peut-être pour cette raison, elle avait un accès direct aux œuvres.

53

Ce que ma mère avait de plus fellinien, c'était la petite taille de Giulietta Masina. Et une tolérance désabusée pour les hommes volages.

— Que voulez-vous, dit-elle un jour à une jeune femme trompée qui s'était jetée en larmes dans ses bras, ils aiment ça…

54

Je n'ai jamais eu d'ami Louis, non plus. Cette fiction récurrente à laquelle mes rêves donnent le prénom de mon père incarne sans doute l'idée assez enfantine que je me fais de l'ami idéal : blagueur, lucide, coriace, fidèle, curieux, entreprenant, romanesque, prêt à toutes les aventures qui m'ennuieraient si je les vivais seul. En un mot : admirable. J'aime admirer. C'est, chez moi, une autre façon de lire. Au fond, mes meilleurs amis sont mes lectures préférées – leurs dossiers critiques ne regardant que moi.

55

À propos d'amis et de proches, je constate que mes énumérations oniriques associent quelques noms de familiers fâchés depuis longtemps les uns avec les autres, qui pour rien au monde ne travailleraient ni ne passeraient des vacances ensemble, ni même ne se reverraient une seule seconde, préférant une fois pour toutes la jouissance de se décréter irréconciliables à l'effort de recoller la vaisselle.

— Toi et tes instincts de chien de berger. Rassembler le troupeau, hein…

Alice a raison d'ironiser sur cet aspect de ma personnalité. Je me fais parfois l'effet d'un de ces hauts chiens blancs des Pyrénées qu'on appelle « patous », qui naissent dans les troupeaux, les protègent férocement contre l'idée même d'une agression extérieure mais ne sont pas programmés pour supporter les bagarres entre brebis.

— Brebis que nous ne sommes pas.

56

Ah ! Je n'ai jamais fait de plongée sous-marine, non plus. Mais je ne doute pas du plaisir que j'y aurais pris. D'ailleurs, mon père n'était pas le genre d'homme à nous emmener en randonnée. Si ce n'est dans les livres qu'il laissait traîner à notre portée après les avoir lus et dont lui-même sortait si pensif – comme essoufflé par une ascension – qu'il ne pouvait nous les raconter. Et puis, mes parents n'avaient rien de ces couples d'aujourd'hui, contraints par leur rythme de travail à se débarrasser de leur progéniture sous des avalanches d'activités formatrices. Assez âgés à ma naissance et respectueux de notre indépendance, ils ne se mêlaient pas de nos distractions.

57

Autre chose : la maison du Vercors n'est pas ma maison d'enfance. C'est une ferme que Minne et moi appelons affectueusement « La Grosse », achetée à notre ami Robert dans les années 1995 et retapée pendant deux ans par Christofo à l'âge où il préférait la solitude laborieuse et le silence des montagnes à ce qu'il appelait (et continue d'appeler) le pipotage universel. La cabane de planches grises où j'écris ces pages n'a donc pas été construite par mon père dans ma première enfance mais par notre amie Dan dans les années 2010. C'est un petit hexagone à toit de chaume, qui pourrait être une cabane à outils si je n'en avais fait mon bureau d'été. Si modestes soient-elles, les maisons sont des êtres. Le génie particulier de celle-ci, pour minuscule qu'elle soit, tient aux espaces interstitiels que Dan – cette incarnation de la nature – a ménagés entre ses planches. En laissant l'air y circuler ces fentes permettent à la fragile cabane de résister aux vents les plus violents et je peux y écrire même dans la tempête. Dès que les bourrasques cognent, un souffle la traverse, c'est tout. Ma cabane respire. Les tempêtes n'ont réussi qu'à lui donner son air penché, comme aux sapins que nous avons plantés au nord il y a une vingtaine d'années. Quand le silence est rétabli, j'entends vivre La Grosse à une trentaine de mètres de moi, les cris des enfants s'il y en a, le rire de Noëllie taquinée par François, les exclamations des filles au scrabble, les tricheries de Vincent, de Kahina ou de Christofo à la pétanque, ces charmantes rumeurs d'été.

58

Reste le projet théâtral sur la résurrection de Fellini. C'est ce qu'il y a de plus réel dans toute cette histoire. Après en avoir rêvé, non seulement je l'ai conçu, mais je l'ai raconté aux comédiens de notre troupe, à notre bande italienne du Funaro, mais aussi à mon ami Gianluca qui m'a proposé d'en parler à la direction du Piccolo. La représentation et la farandole dans les rues de Milan me sont apparues aussi clairement que si elles avaient eu lieu : Clara à la mise en scène, Alice à la musique, Ximo aux lumières, Matthias à la caméra, Massi au trombone, Pako, Ludo, Demi, Lisa, Bibi et les autres dispersés parmi les spectateurs... Puis la fiesta finale dans le parc Sempione de Milan... Comme si c'était fait. Comme si Ludo et Roberto me l'avaient déjà racontée. C'est presque un souvenir.

59

Enfin, cette bizarrerie bien réelle : je ne me suis jamais habitué à l'électricité. Quand j'appuie sur un commutateur, le fait que la nuit devienne jour, ou que le jour se fasse nuit, ne va pas de soi. À mes yeux, cela tient toujours du miracle. Ce n'est plus une surprise, certes – ça marche vraiment à tous les coups, le monde s'allume, le monde s'éteint –, mais je m'étonne de ne plus m'en étonner.

60

L'hôpital m'a surveillé le temps qu'il fallait, puis m'a renvoyé dans mes foyers avec moult conseils de prudence. Un mois de Vercors sous la protection de Minne. Sagesse. Cabane penchée. Écriture. Chapitre 60. Retour à Paris. Et me voici.

VII

L'ÉVANGILE SELON SAINT SÉBASTIEN

Mais que s'est-il passé, vraiment ?

FEDERICO FELLINI
Le livre de mes rêves

61

Nous en sommes là, Minne et moi revenus à Paris, lorsque – c'était hier – sur le chemin de ma boîte aux lettres, je croise notre voisine Françoise (originaire comme moi du pays niçois) qui se réjouit de ma résurrection et me demande ce que je fais de ma deuxième vie.

— Ce que m'a appris la première. J'écris un roman.

— Sur ?

— Sur le rêve je crois. Ou sur Fellini si tu préfères. Fellini, le rêve, moi, ma tribu... je ne sais pas trop.

— Bien avancé ?

— Presque fini.

— Long ?

— Court.

— Tu me le lis ?

Nous y passons l'après-midi, dans le silence attentif de son visage que la lecture tour à tour illumine ou assombrit. Pas la moindre chute d'attention, des onomatopées explicites, et, une fois la lecture achevée, Françoise, pensive, qui murmure :

— C'est incroyable...

Elle cherche un instant à formuler l'incroyable en question et me demande :

— Sais-tu quel est le personnage clef de ce livre ?

Silence.

— Celui par qui tous tes rêves ont été rendus possibles...

Silence.

— Saint Sébastien, annonce-t-elle.

— Le saint Sébastien que ma grand-mère n'a jamais possédé ?

— Celui-là, oui. Pourrais-tu me le décrire le plus précisément possible ?

— Le décrire à quel point de vue ?

— L'image que tu t'en faisais dans tes rêves.

— La première fois il trônait sur la cheminée (elle aussi inexistante) de ma grand-mère. La deuxième fois il vivait sous l'eau, dans ma chambre d'enfant.

— De cela nous reparlerons. Pour l'instant, sors-le de l'eau et de ton rêve, pose-le devant toi et décris-le-moi le plus précisément possible.

— C'était une statuette en bois poli, du buis peut-être, sur un socle de marbre, sulpicienne en diable, presque une image d'adoration érotique, comme souvent les saint Sébastien, avec leur posture de discobole qui met si bien les muscles de leur buste et de leurs cuisses en valeur, et ce visage lancé vers l'extase... Un objet de consolation pour cloîtrés des deux sexes, oui.

— Peints ou sculptés, ils nous envoient tous au ciel, c'est vrai, admit Françoise. Y a-t-il un détail qui te frappe, chez le tien ?

— Il avait une auréole électrique.

— Laisse tomber l'électricité. Quelle taille, l'auréole ?

— Grande. Quand elle s'est allumée, j'ai pensé à une queue de paon.

— Une auréole démesurée ?

— Disproportionnée, je dirais.

— C'est incroyable, répète-t-elle en laissant rêveusement traîner le « a » de la dernière syllabe.

Puis :

— J'ai une histoire à te raconter.

62

Cela remontait au début des années 1970. Françoise achevait ses études aux Arts déco de Nice pendant que j'enseignais dans le Nord. Elle ne savait quoi présenter pour son diplôme de fin d'études. À l'époque les artistes inventifs ne manquaient pas dans la région niçoise. Il y avait Ben avec ses « écritures », réputé incarner l'avant-garde des artistes postmodernes. Il y avait Ernest Pignon-Ernest, dont les collages s'adresseraient un jour au peuple de toutes les rues du monde. Pour son diplôme de fin d'études, Françoise cherchait elle aussi à produire une œuvre singulière qui parlât à tous. Or, l'écriture murale était prise, la rue était prise, César régnait sur la sculpture, et Françoise cherchait en vain. Elle parcourait les montagnes de l'arrière-pays sur une BMW hors d'âge, une moto qui chauffait comme une bouilloire et tombait régulièrement en panne dans les côtes : tétanie des pistons.

— Filmer ce que j'avais sous les yeux partout où la moto me lâchait était un de mes projets, m'expliqua-t-elle. J'aurais appelé ça *Pannes.* Ce genre de bêtises, tu vois.

— Le rapport avec mon saint Sébastien ?

— Tu vas voir.

Un jour, la moto lui fait sa crise à cinq cents mètres d'altitude, au pied des Alpes-de-Haute-Provence.

— J'attendais qu'elle refroidisse, assise sur le muret de la route, les pieds ballants dans le vide, quand je vois deux camions se foncer dessus, une centaine de mètres au-dessous de moi, dans un gigantesque chantier. Moteurs rugissants, ils se jetaient l'un sur l'autre, et tout autour, perchés sur les contreforts de la montagne et sur les engins de chantier, les ouvriers encourageaient ce duel en gueulant comme à la corrida. Les rétroviseurs extérieurs avaient éclaté, des bouts de tôle sautaient à chaque passage, mais les camions s'évitaient à la dernière seconde. « Olé ! » criaient les ouvriers. Les chauffeurs faisaient demi-tour en bout de piste, dérapant au ras de la falaise, puis, de nouveau face à face, vitesse enclenchée, moteurs rugissants, ils lâchaient brusquement l'embrayage et c'était reparti pour un tour.

Françoise avait sorti sa caméra, évidemment ; Spielberg avant l'heure.

— Et mon saint Sébastien ? demandai-je.

— Attends.

63

Il s'agissait du chantier de Sainte-Croix-du-Verdon, un gigantesque projet de retenue hydroélectrique, l'inondation d'une vallée immense sous un barrage monumental. Grande polémique, à l'époque. Allait-on noyer tous les villages de la vallée ? Émoi de la population, quasi-soulèvement. Finalement un seul village avait été sacrifié, Les Salles-sur-Verdon, que l'on reconstruisait cent mètres plus haut avant de lâcher les eaux. D'où le chantier.

— J'avais trouvé le sujet de mon diplôme.

Françoise allait filmer l'engloutissement du village (dont on vida effectivement le cimetière avant de dynamiter les maisons et d'ouvrir les vannes). Elle allait suivre la migration des habitants à l'étage supérieur de la colline. Elle allait les interviewer, filmer leurs regards, le soir, quand ils se poseraient sur le lac ; elle allait saisir leurs vieilles âmes au-dessus de leur passé englouti.

Elle filmerait aussi la journée des ouvriers venus construire le village du haut. C'étaient des hommes sans femmes, Algériens et Portugais, que distrayaient les duels de camions – deux vieux Berliet promis à la casse, qu'on avait abandonnés aux pulsions ludiques des chauffeurs. Elle interviewerait également les filles montées de Nice, de Cannes, de Toulon et même de Marseille pour la sexualité des hommes.

— Elles installaient leurs caravanes un peu partout. Quelquefois c'étaient des tubes Citroën en tôle ondulée, comme les paniers à salade des flics, tu te souviens ? Les plus pauvres travaillaient sous des tentes.

Françoise avait dix-huit ans. Le sort de cette population la touchait. Le directeur des Arts déco lui avait donné sa bénédiction et fourni toute la pellicule nécessaire pour tourner. Il se proposait de vendre son film à la télé.

— Mon saint Sébastien ?

— Ça vient.

64

À sa grande surprise, Françoise constata que la plupart des vieilles gens ne regrettaient pas leur ancienne maison.

— Ils découvraient les joies de la salle de bains et de la cuisine intégrée.

La nostalgie ne faisait pas de buée sur les baies vitrées.

Françoise apprit également que la télévision n'aimait pas les histoires de putes et de travailleurs immigrés. Et que le directeur des Arts déco n'avait pas les épaules assez larges pour vendre à qui que ce soit un film qui contrevenait à l'image qu'on devait se faire des bienfaits du progrès.

— La fin de mes dix-huit ans, quoi.

— Et mon saint ?

— J'y arrive.

65

Elle s'était liée d'amitié avec le charpentier du village, un charron sarde, émigré en mai 37, une semaine après la mort de Gramsci. Il s'appelait Gavino Seki. C'était un vieux communiste d'Oristano, veuf d'une Pepina on ne peut plus catholique. Le vieux Seki non plus ne regrettait pas sa maison. La seule chose qui lui manquait c'était le petit banc de pierre sur lequel Pepina et lui s'asseyaient à la tombée du jour.

— Je n'ai pas pensé à le monter ici.

Françoise lui proposa de réparer cet oubli. Elle plongea avec un câble relié à un treuil et le veuf put de nouveau honorer le soleil couchant.

Pendant cette plongée, elle visita ce qui restait de la maison, mal dynamitée, du couple Seki. Sur la cheminée de la chambre conjugale éventrée trônait une statuette de saint Sébastien.

— Le voilà, ton saint. Et la cheminée de ta grand-mère, par la même occasion.

Une statuette en buis, lestée par un socle de granit poli et dotée d'une gigantesque auréole.

— C'est les bondieuseries de ma femme, grommela Gavino Seki, en refusant de récupérer le supplicié.

Mais Françoise sentait qu'il y avait dans la voix du vieux Sarde autre chose que la sempiternelle querelle méridionale du mari qui s'arsouille au café pendant que l'épouse communie.

— Un truc en plus, me dit-elle.

Elle cuisina si bien Gavino qu'elle finit par obtenir la véritable histoire du saint. Gavino la lui raconta lentement, assis sur son banc, face au soleil qui se couchait.

C'était un jeu entre sa femme et lui. Chaque fois que Gavino envoyait le saint au diable, Pepina agrandissait son auréole. Elle y ajoutait un cercle de bois qu'elle découpait dans une branche de buis ou qu'elle taillait dans une racine de bruyère séchée. Poli avec une patience d'éternité, ce centimètre de bois imputrescible s'ajoutait aux précédents, en sorte que l'auréole du saint révélait l'âge de leur amour par le nombre de leurs disputes, comme ces cercles que les enfants comptent dans les troncs coupés disent l'âge des arbres abattus.

— C'est vrai, admit Gavino. Quand on s'est rencontrés le saint n'avait pas d'auréole.

66

— Tu veux la chute ? me demanda Françoise. Tu tiens vraiment à savoir comment ce saint est entré dans ta vie ?

— Si ce n'est pas un secret...

— Alors dis-moi où tu étais et ce que tu faisais, toi, pendant ce temps.

— J'étais prof, dans le Nord.

— Raconte.

— Quel rapport ?

— Raconte toujours.

VIII

LA LOI DU RÊVEUR

C'est alors, au beau milieu de la vie, que le rêve déploie ses vastes cinémas.

FERNANDO PESSOA
Le livre de l'intranquillité

67

Pendant ces mêmes années 1970, j'étais professeur pensionnaire dans un ancien couvent du Nord que la fonte des vocations avait transformé en collège. Au-dessus de l'étroite cellule qui me servait de chambre dormaient les moyens (c'était encore ainsi qu'on dénommait les élèves : les petits, les moyens et les grands). Leur dortoir était la manufacture des rêves.

Mes rêveurs, venus des quatre coins de France, étaient des adolescents déglingués que l'institution scolaire envoyait composer chez nous des classes dites « aménagées ». Certains n'écrivaient pas. Bien que sachant écrire, ils s'y refusaient absolument. Ils se dérobaient à l'écriture comme des chevaux devant l'obstacle ; le même refus terrorisé. À ceux-là (et d'ailleurs à tous) j'appris à recueillir leurs rêves. Pas à les écrire : à les recueillir, simplement. En les notant pour eux seuls. Cette cueillette devint leur premier geste du matin. Un petit carnet au pied de leur lit, et hop. Pourquoi ? Accessoirement, pour les ramener à l'écriture par des chemins détournés. Mais surtout pour qu'ils récoltent ce que le gars de la nuit léguait au gars du matin. (C'était un collège de garçons. La Terre n'était pas mixte à l'époque.)

— Moi je ne me souviens jamais de mes rêves, monsieur.

— Que tu crois.

Les premières fois, leur cueillette tenait en quelques mots, quasi rien, une image, une sensation. Puis venait un embryon de récit. Un autre le lendemain. Récits dont leur imagination s'emparait peu à peu. Qui devenaient des histoires sans ponctuation, orthographe ni grammaire, mais chaque matin plus foisonnantes. En notant leurs rêves pour eux seuls ils n'avaient pas l'impression d'écrire. Les images nocturnes se muaient d'elles-mêmes en signes d'encre sur leur carnet, voilà tout. Finalement leurs histoires proliféraient avec la dévorante ampleur du lierre ou de la glycine.

Car l'imagination ne doit aucune fidélité aux rêves. Est-ce qu'ils nous consultent, eux ?

68

Je ne lisais jamais les carnets de mes rêveurs. Ils avaient trop honte de leur écriture estropiée. Elle était comme ces visages d'après guerre que les gueules cassées ne veulent plus montrer à personne. Les notes négatives données à leurs dictées et les réflexions mortifiantes (« Moins 28, Untel, vous jouez à qui perd gagne ? ») les avaient paralysés : du coup ils avaient cessé d'écrire, tout bonnement. Je ne lisais jamais leurs textes mais je leur demandais de me les dicter et je les écrivais au tableau. Ils les voyaient alors apparaître dans leurs habits du dimanche, sans faute d'orthographe ou de grammaire, sous les plis impeccables de la juste ponctuation. Après quoi nous faisions ensemble, pas à pas, le chemin qui menait de leur écriture en lambeaux à celle-ci, la présentable. Chirurgie esthétique, minutieuse reconstitution des lignes.

69

Après les avoir ramenés à l'écriture, c'est à ces mêmes élèves que j'interdisais la solution du rêve quand il leur fallait se plier au réalisme scolaire : Racontez ceci... Souvenez-vous de cela... Imaginez que... Comment finiriez-vous cette histoire ?...

— Et pas question de vous tailler par la porte du rêve, compris ? Je suis derrière avec un gros bâton !

— Vous êtes vache, monsieur.

70

Mes nuits à moi, je les passais à courir dans le métro parisien vers la jeune femme qui m'avait quitté deux ans plus tôt. Je n'en revenais pas de la voir elle aussi courir vers moi. Elle m'aimait donc encore ! Je l'apercevais au loin. Je la reconnaissais. Je me précipitais vers elle. Elle me repérait à son tour et nous courions l'un vers l'autre, les bras grands ouverts. Mais au moment de nous étreindre elle me passait au travers, comme si j'avais perdu toute consistance, comme si j'étais mon propre fantôme. Elle me traversait, elle sautait dans le métro qui démarrait, et elle disparaissait en compagnie de toute ma famille.

Je me réveillais mort-vivant dans ma cellule de moine.

C'était un des rêves récurrents que je faisais depuis notre séparation.

Un autre lui ressemblait. Là aussi nous courions l'un vers l'autre mais cette fois sous la haute galerie du lycée Masséna, à Nice, où nous avions échangé notre premier baiser. J'étais content que ce ne soit pas dans le métro. Cette fois, je courais vers elle en chair et en os, certain de ma densité, pesant mon poids d'amoureux dans la galerie qui vibrait sous mes pieds ; elle ne pourrait pas me traverser. Elle n'en avait pas l'intention d'ailleurs, elle courait vers moi toute souriante, ses pieds nus claquant joyeusement sur le carrelage. Nous allions nous rejoindre ! Nous étions à deux pas de nos retrouvailles. Seulement, une porte s'ouvrait, un vieux surveillant chargé de copies sortait d'une classe, si près de moi que je ne pouvais l'éviter. Je le percutais de tout mon poids, il basculait par-dessus la rambarde, je le voyais tournoyer dans le vide, les copies voletant autour de lui, et je me réveillais dans la peau d'un assassin.

71

Romanesquement parlant, il n'y avait rien à tirer de ces cauchemars. Des rêves clos. Ils n'ouvraient sur aucun récit. Je ne les racontais d'ailleurs à personne et n'avais pas l'intention de les vendre à un psychanalyste. Je me contentais de les noter, chaque fois qu'ils se présentaient. J'en parle ici pour la première fois. Du moins m'avaient-ils donné l'idée de réconcilier mes élèves avec l'écriture via la cueillette de leurs rêves à eux. Mes déglingués adoraient cette façon d'écrire sans écrire. Il s'en trouve encore aujourd'hui (un demi-siècle plus tard, citoyens honorables devenus, à l'orthographe irréprochable) pour tenir toujours le journal de leurs rêves.

72

Parfois j'avais besoin de quitter la petite foule du collège. Ces soirs-là je ne dînais pas au réfectoire mais en ville, dans un hôtel de représentants. Il n'y a pas mieux pour la solitude. Quelques hommes mangeaient en silence à des tables séparées. Ils consultaient leurs catalogues à l'heure de la verveine ou du Fernet-Branca puis montaient se coucher. Moi, je corrigeais mes copies. Les hôteliers (des parents d'élèves) me laissaient travailler jusqu'à la fermeture. L'heure venue ils haussaient le son du téléviseur – allumé en sourdine – et nous buvions un calva en regardant le journal de la nuit. C'était notre rituel.

73

— Ne cherche pas, me dit Françoise, tu as dû voir mon saint Sébastien un de ces soirs-là, en sirotant ton calva devant le journal télévisé. C'est la seule séquence de mon film que la télévision a bien voulu passer. Dix-sept secondes de la vie d'un saint englouti pendant qu'une voix off racontait l'inondation de la vallée. Gavino m'avait demandé de remettre le saint à sa place, en mémoire de Pepina, et c'est en m'exécutant que je l'ai filmé. On le voyait comme tu l'as vu dans ton rêve, sous l'eau et sur la cheminée de la chambre, avec son auréole gigantesque. Il doit y être encore. Certes l'auréole n'était pas électrique mais un rayon de soleil en bout de course la faisait luire un peu. Consulte donc le journal de tes rêves. La télé a diffusé le reportage un 20 janvier, le jour de la Saint-Sébastien justement. (Et de la naissance de Fellini, notai-je au passage.) Tu as dû en rêver cette nuit-là.

74

Il n'est pas impossible que j'aie vu ce reportage mais je n'en ai aucun souvenir. Si j'en crois le journal de mes rêves, je n'ai pas rêvé de saint Sébastien la nuit de sa diffusion. Cette nuit-là, un 20 janvier effectivement, revenu trempé du restaurant des représentants, une pluie diluvienne continuant à battre la fenêtre de ma cellule, je suis tombé dans un autre rêve. Qui devint récurrent, lui aussi, mais que j'accueillis cette première fois avec bienveillance car mon amie n'y jouait aucun rôle. Elle n'y était pas. J'étais guéri, me disais-je, enfin rendu à moi-même. J'en éprouvais un immense soulagement.

Je rêvais que j'étais en sécurité dans une petite bibliothèque, où ronflait un bon feu. Lové dans un fauteuil et ronronnant à la perspective d'une bonne lecture, je parcourais des yeux les rayons qui m'entouraient. J'y cherchais *Paulina 1880*, le roman de Pierre Jean Jouve. Mes titres préférés défilaient comme à la parade. Bref, un rêve délicieux. Qui virait pourtant au cauchemar. Tout à coup la bibliothèque se mettait à frissonner, toutes les couvertures ensemble, comme la peau d'un cheval sous la piqûre d'un taon. Puis les livres se décollaient les uns des autres avec un bruit de succion et ils se mettaient à perdre leur encre. Ils se vidaient. L'encre coulait sous eux, couvrant les étagères d'une plaque de marbre liquide où chatoyaient les lumières de la pièce. De plus en plus épaisse, la flaque tremblotait sur l'arête des étagères. Ça va déborder, me disais-je. *Inévitablement.* Je suppose que les italiques soulignaient l'imminence de la catastrophe. Elles annonçaient la seconde où, tout autour de moi, l'encre coulerait de la bibliothèque pour inonder mon bureau, le remplir et, finalement, me submerger. Les premières gouttes faisaient un bruit mat en éclatant sur le plancher. Une flaque se formait qui progressait par vaguelettes concentriques vers mon fauteuil. Je me rencognais entre les accoudoirs et le dossier, pieds levés pour ne pas souiller mes chaussures. Cette fois, me disais-je, je ne pourrais pas m'échapper en sautillant de pierre en pierre comme dans l'inondation de lumière… Non, cette fois, c'est la bonne.

REMERCIEMENTS

Ils vont au Gamin, à Minne, à Alice, à Fanchon, à Yasmina, à Vincent, au Babouin, à Gianluca, à Françoise, bref, à mes habituels lecteurs préalables…

Œuvres de Daniel Pennac (suite)

Aux Éditions Gallimard Jeunesse

Dans la collection « Folio Junior »

KAMO L'AGENCE BABEL, *nº 800. Illustrations de Jean-Philippe Chabot.*

L'ÉVASION DE KAMO, *nº 801. Illustrations de Jean-Philippe Chabot.*

KAMO ET MOI, *nº 802. Illustrations de Jean-Philippe Chabot.*

KAMO L'IDÉE DU SIÈCLE, *nº 803. Illustrations de Jean-Philippe Chabot. Hors-série Littérature.*

KAMO : Kamo, l'idée du siècle – Kamo et moi – Kamo, l'agence Babel – L'évasion de Kamo. *Illustrations de Jean-Philippe Chabot.*

Dans la collection « Albums Jeunesse »

LES DIX DROITS DU LECTEUR, *ingénierie papier et illustrations de Gérard Lo Monaco.*

Dans la collection « Écoutez lire »

KAMO L'IDÉE DU SIÈCLE. Lu par Daniel Pennac. *Illustrations de Jean-Philippe Chabot.*

KAMO L'AGENCE BABEL. Lu par Daniel Pennac. *Illustrations de Jean-Philippe Chabot.*

MERCI. Lu par Claude Piéplu. *Illustrations de Quentin Blake.*

L'ŒIL DU LOUP. Lu par Daniel Pennac. *Illustrations de Catherine Reisser.*

CHAGRIN D'ÉCOLE. Lu par Daniel Pennac.

JOURNAL D'UN CORPS. Lu par Daniel Pennac.

ANCIEN MALADE DES HÔPITAUX DE PARIS. Lu par Olivier Saladin.

Dans la collection « Gaffobobo »

LE CROCODILE À ROULETTES. *Illustrations de Ciccolini.*

LE SERPENT ÉLECTRIQUE. *Illustrations de Ciccolini.*

BON BAIN LES BAMBINS. *Illustrations de Ciccolini.*

Dans la collection « À voix haute » (CD audio)

BARTLEBY LE SCRIBE de Herman Melville dans la traduction de Pierre Leyris.

Aux Éditions Hoëbeke

LES GRANDES VACANCES, en collaboration avec Robert Doisneau.

LA VIE DE FAMILLE, en collaboration avec Robert Doisneau.

NEMO.

ÉCRIRE.

Aux Éditions Casterman

LE ROMAN D'ERNEST ET CÉLESTINE (« Casterman poche », *n° 58*).

Aux Éditions Nathan et Pocket Jeunesse

CABOT-CABOCHE.

L'ŒIL DU LOUP.

Aux Éditions Centurion Jeunesse

LE GRAND REX.

Aux Éditions Grasset

PÈRE NOËL, *biographie romancée*, en collaboration avec Tudor Eliad.

LES ENFANTS DE YALTA, *roman*, en collaboration avec Tudor Eliad.

Chez d'autres éditeurs

LE TOUR DU CIEL, *Calmann-Lévy* et *Réunion des Musées nationaux*.

QU'EST-CE QUE TU ATTENDS, MARIE ?, *Calmann-Lévy* et *Réunion des Musées nationaux*.

LE SERVICE MILITAIRE AU SERVICE DE QUI, *Le Seuil*.

VERCORS D'EN HAUT : LA RÉSERVE NATURELLE DES HAUTS-PLATEAUX, *Milan*.

Composition : IGS-CP à L'Isle-d'Espagnac (16)
Achevé d'imprimer
par CPI Firmin-Didot
à Mesnil-sur-l'Estrée, en décembre 2019
Dépôt légal : décembre 2019
Numéro d'imprimeur : 156034

ISBN : 978-2-07-287938-8/Imprimé en France

361651